Op de vlucht

Haye van der Heyden

Op de vlucht

Tekeningen van Alice Hoogstad

Elzenga

STICHTING NEDERLANDSE
KINDERJURY
2001

avi 6

Eerste druk 2000
© 2000 tekst: Haye van der Heyden
Omslag en illustraties: Alice Hoogstad
Auteursfoto: Piek
Uitgeverij Elzenga, Amsterdam
ISBN 90 6692 311 3 / NUGI 221

Inhoud

Ontmoeting op straat

Arthur loopt over straat. Nergens naartoe. Of toch wel: zijn gedachten achterna. Als je loopt kan je goed nadenken en fantaseren. Je loopt over straat maar je zweeft weg naar verre landen, naar het heelal, naar de noordpool, naar een huis met vrienden, naar een tuin met dieren. Om hem heen rijden fietsers en auto's. Er lopen mensen met honden en spelende kinderen. Arthur ziet hen niet. Hij dagdroomt dat hij op een boot zit en een verre reis maakt. Hij is een beroemde schrijver en zit aan het dek te schrijven. De andere passagiers bekijken hem nieuwsgierig, maar niemand durft hem aan te spreken. De schrijver op de boot schrijft een boek over een jongen die over straat loopt en met zijn gedachten ergens anders is. De schrijver denkt na. Hij leunt even achterover in zijn dekstoel en kijkt naar de wolken. Wat zal er gebeuren met die jongen?

Plotseling verschijnt er een jonge vrouw aan dek. Ze is prachtig. De schrijver veert op. Het is Nina. Ze wandelt over het dek. Als ze langs de schrijver loopt, kijkt ze hem even aan en glimlacht vaag. De man glimlacht terug, maar het gaat krampachtig. Hij moet er zijn best voor doen.

Nina. Plotseling staat Nina voor Arthur, verschenen tussen de fietsers, de auto's, de mensen met honden en de spelende kinderen.

'Hallo Arthur,' zegt ze luchtig.

'Hallo,' zegt Arthur en hij voelt dat hij het warm krijgt.

'Wat ga je doen?'

'Ik weet het niet,' zegt hij, 'een beetje l-l-lopen.'

Het meisje lacht. Lacht ze hem uit?

'Dag N-Nina,' stottert Arthur nog en loopt dan snel door. De droom is weg, de boot is weg, de schrijver is weg. Hij voelt dat ze hem nakijkt. Hij zou hard weg willen rennen.

Vertrek in de nacht

Al die geluiden door elkaar: de harde wind buiten, de regen die tegen het raam slaat, het geschreeuw van de onderdanen. Arthur droomt. Hij is koning over een klein land. Een land zo groot als een flinke tuin. Een landgoed. Hij heeft dertig onderdanen. Ze staan onder het bordes en schreeuwen tegen hem. Wat schreeuwen ze? Hij kan het niet verstaan. Iedereen schreeuwt door elkaar.

Dan wordt Arthur wakker. De regen en de wind zijn er nog. Het land en de onderdanen heeft hij achtergelaten in zijn droom. Nu is er de werkelijkheid van een donkere kamer, met een streep licht van de deur die een stukje open staat. Er zijn stemmen. De stem van zijn moeder en die van zijn vader. Ze praten door elkaar heen. Het geluid komt van beneden. Uit de gang. Wat is er aan de hand? Toch niet weer?

Arthur richt zich op. Hij luistert. En vangt een paar woorden op.

'Het kan niet meer,' zegt zijn moeder. 'Het kan gewoon niet meer.'

'Ik weet het niet meer,' zegt zijn vader. 'Ik weet het gewoon niet meer.'

'Ik heb mijn best gedaan,' zegt zij.

'Wat denk je van mij? Wat denk je van mij?' roept hij.

Arthur staat op. Slapen is er nu toch niet meer bij. Hij trekt zijn sloffen aan en zijn ochtendjas. Kalm aan. Het is weer zover. Ik begin er al aan te wennen, denkt hij.

Op de gang prikt het licht in zijn ogen. Hoe laat zou het zijn? Midden in de nacht of heel vroeg in de ochtend?

Beneden ziet hij zijn vader op de trap zitten. Hij heeft alleen een broek aan en een hemd. Moeder hangt bij de kapstok tegen de jassen. Haar haar sliert voor haar gezicht. Zij heeft een jas omgeslagen. Daaronder ziet Arthur geknikte benen. En blote voeten.

'En wat nu?' vraagt ze.

'Ja, wat nu?' zegt vader.

Plotseling kijken ze tegelijkertijd naar boven. Ze kijken naar Arthur.

'Ik b-ben wakker geworden van het l-lawaai.' Altijd, denkt hij. Stotteren doe ik altijd op de momenten dat het niet uitkomt. Als iedereen naar me kijkt, stotter ik. Als ze me aanwijzen. Als ze zeggen: jij. Als ze zeggen: jij moet iets zeggen. Dan stotter ik. Het gaat vanzelf. Ik kan er niks tegen doen.

Vader loopt naar boven. 'Het spijt me vreselijk, jongen,' zegt hij.

'Het spijt hem, maar hij doet toch wat hij wil,' zegt moeder van beneden bitter.

Vader zegt niets. Twee treden lager dan Arthur staat hij. Hij ziet er moe uit. En oud. 'Het spijt me,' zegt hij nog eens. Ook zijn stem klinkt zwak. Ineens een oude man.

Arthur loopt langs hem heen naar beneden. Hij weet niet wat hij moet zeggen. Of doen. Wat spijt vader?

Wat is er aan de hand?

Dan ziet hij de kleine koffer staan. Bij de verwarming. De kleine koffer betekent dat vader een paar dagen weg gaat. Voor zaken. Naast de kleine koffer staat een grote tas. Dat betekent dat de paar dagen een week kunnen zijn.

'Hoe laat is het?' vraagt Arthur.

'Half vier,' zegt moeder. 'Ga maar terug naar bed.'

'Ga je weg, pap?'

'Ja jongen, het spijt me.'

Arthur kijkt naar de grond. Alsof hij zich ergens voor schaamt. Waar zou hij zich voor moeten schamen? Hij weet het niet. Toch durft hij niet meer op te kijken. 'Hoe hoe hoe l-lang blijf je weg?' vraagt hij.

'Dat weet ik niet,' zegt vader. 'Misschien wel wat langer.'

Wat langer dan wat? vraagt Arthur zich af. Langer dan een dag? Langer dan een week? Langer dan een jaar?

Een meisje met rood haar

Het is nog donker. Nog net. Hoe laat zou het zijn? Tegen zeven uur, denkt Arthur. Hij kijkt op de wekker van zijn vader. 06:56. Hij ligt in het grote bed. Bij zijn moeder. Dat komt eigenlijk nooit meer voor. Hij is daar te oud voor. Maar nu dan toch nog een keer. Vanwege al het gedoe.

Ze slaapt. Gelukkig. Vannacht heeft ze gehuild. Arthur wist niet wat hij daar mee aan moest. Een zachtjes huilende moeder in het donker. En daar lig je dan naast in bed.

Hij kijkt opzij. Tinten zwart en donkergrijs. De contouren van haar gezicht. Haar haar op het kussen. Ze ziet er zo anders uit. Vertrokken spieren. Een vrouw met pijn. Een meisje met pijn.

Arthur doet zijn ogen weer dicht. Dan is hij op een straat die blinkt van de regen. Iets verderop staat een meisje met rood haar. En felrode lippen. Vloekende kleuren. Ze rookt een sigaret.

Arthur verschuilt zich in de duisternis van een portiek. Hij kijkt toe. Dan komen er vier mannen aanlopen. Vier silhouetten op een glimmend wegdek. Naast elkaar lopen ze. Een hele grote, twee van normaal postuur en een kleine. Maar allemaal brede kerels. Vechtmachines. Ze hebben stokken en knuppels bij zich. En lopen een beetje wijdbeens. Het meisje ziet ze niet aankomen. Achter je! wil Arthur roepen, maar zijn stem doet het niet. De mannen lopen naar haar toe. Dan hoort ze ze en draait haar hoofd. Hij ziet hoe ze schrikt. Ze kijkt om zich heen. Zoekt een uitweg. Maar het is te laat. De vier mannen waaieren om haar heen. Ze kan nergens meer naar toe.

'Kom met ons mee,' zegt de kleine met een raspende stem. 'De baas wil je spreken.'

'Nee,' roept het meisje en ze probeert alsnog weg te rennen.

De grote man pakt haar polsen. Ze gilt. 'Nee,' gilt ze, 'nee.' En ze vecht.

De mannen lachen.

'Wat wou je nou, meisje?' zegt de kleine. 'Helemaal alleen tegen vier kerels?'

'Ze is niet alleen.' De stem van Arthur klinkt kil in de verder lege straat. Hij praat zonder hapering. 'Laat haar met rust.'

De mannen vallen even stil. Waarschijnlijk toch onder de indruk van de geheimzinnige donkere figuur. Arthur voelt zich rustig en zeker.

'Wie ben jij?'

'Bemoei je er niet mee.'

'Het zijn jouw zaken niet.'

Arthur loopt langzaam naar het groepje toe. 'Ik maak zelf uit wat mijn zaken zijn en wat niet,' zegt hij vriendelijk. Er klinkt echter een zekere dreiging in zijn stem.

Het maakt de mannen onzeker. Heel even.

'Oprotten jij.' De twee van normaal postuur lopen naar Arthur toe. 'Wegwezen.'

Het gaat heel snel: Arthur doet een kleine stap naar voren, haalt uit en stapt weer naar achteren. Een van de twee spierbundels zakt rochelend op de grond, met de handen aan zijn gezicht. Er komt bloed uit zijn mond. Hij kermt en jankt. De drie anderen kijken er even verbaasd naar. Dan laat de grote het meisje los. Hij geeft een kort knikje naar de anderen. Het meisje gilt. Drie man storten zich tegelijk op Arthur. Die doet snelle stappen naar links en naar rechts. Een korte karateklap breekt de neus van de kleine. Een trap tegen de linkerknieschijf van de grote. Gekraak van bot. De derde man krijgt een knie in zijn maag. In een paar seconden is het gebeurd. En liggen er vier man op het glanzende asfalt.

Arthur trekt even de mouw van zijn jasje recht en haalt een hand door zijn haar. Hij heeft geen schrammetje.

Het meisje kijkt hem met schitterende ogen aan. 'Hoe kan ik je bedanken? Je hebt mijn leven gered.' Ze loopt naar hem toe en kust hem.

'Geen probleem,' glimlacht hij.

'Opstaan jochie,' zegt ze dan opeens. 'Je moet ontbijten. Het is een gewone schooldag vandaag.'

Arthur opent zijn ogen en ziet zijn moeder. Ze heeft wallen onder haar ogen.

'Kom,' zegt ze. 'Vandaag is de eerste dag van de rest van ons leven.'

Beschuitje tegenzin

'Je moet wat eten. Het is koud buiten,' zegt moeder.
'Ik heb geen honger.'
'Neem dan een beschuitje of zo.'
Arthur smeert een beschuitje. Met tegenzin. En boter.
'Je ziet er moe uit,' zegt ze.
Arthur knikt. Het zal wel.
'We staan er nu alleen voor, jongen.'
Arthur haalt zijn schouders op. Dat heeft ze al vaker gezegd vanochtend. Alsof ze zichzelf moet overtuigen.
'Want ik denk niet dat je vader nog terug komt,' zegt ze. 'Alle mannen zijn egoïsten. Allemaal.'
Arthur reageert niet. Ben ik geen man? vraagt hij zich af. Ben ik dan ook een egoïst?
Moeder valt in een stoel. Alsof haar benen haar opeens niet meer kunnen dragen. 'Allemaal,' zegt ze nog eens. Ze zucht en knijpt haar ogen dicht.
Arthur schaaft twee plakjes kaas. En legt die op zijn beschuitje. Hij bijt. Oorverdovend gekraak.
Het is alsof ze samen onder een glazen stolp zitten. Een schilderijtje. Nee, een film. Over een moeder en een zoon die bijna niets tegen elkaar zeggen.
Waar zou vader nu zijn? vraagt Arthur zich af. Zou hij met een andere vrouw in een groot bed liggen? Een

groot wit bed. In een hotel. Of zit hij gewoon op zijn werk? Met koffievlekken op zijn bureau en zijn papieren.

'Nu kan het,' zegt moeder opeens. 'Hij is weg. Dus hij heeft er niks meer over te zeggen.'

'Wat bedoel je?' vraagt Arthur.

'Dat is het grote voordeel. Al die kritiek en dat moeilijke gedoe, daar zijn we nu vanaf. Heerlijk.'

Ze praat tegen zichzelf, stelt Arthur vast. Ik heb er niks mee te maken.

Hij zwijgt.

'We gaan vanmiddag naar het asiel,' zegt moeder. 'Dat doen we. We gaan naar het asiel om voor jou een hond te halen. Nu krijg je eindelijk een hond.'

Arthur lacht. Het gaat vanzelf. Een hond! Hij heeft zijn hele leven al een hond willen hebben.

Smeer je me even in?

Arthur staat wat achteraf. Zoals meestal. Hij voetbalt wel eens met iemand of gaat wel eens mee fietsen met een groepje. Of zeilen. Wanneer is iemand eigenlijk een vriend? Hij kijkt op zijn horloge. Het is nog vroeg. De lessen beginnen pas over tien minuten.

Arthur kijkt naar Nina. Ze staat verderop met vriendinnen. Nina is het mooiste meisje van de school. Ze is het mooiste meisje van Nederland. Van Europa. Misschien wel van de wereld. Maar in ieder geval van Nederland. Dat weet Arthur zeker. Hij kijkt veel televisie. Op televisie zie je de mooiste meisjes. En Nina is veel mooier.

Hij kijkt hoe ze haar hoofd beweegt, hoe ze lacht, hoe ze heen en weer wiegt van het ene been op het andere. Het is bijna dansen. Zo prachtig.

Nina is met Richard. Zegt iedereen. En Richard zit al voor het tweede jaar in groep acht. Hij heeft in het buitenland gewoond en is dertien. Daar kan niemand tegenop. Zeker Arthur niet, denkt Arthur.

Hij sluit zijn ogen. De harde koude wind verdwijnt en het is opeens veel warmer. De harde natte tegels van het schoolplein zijn warm zand. Het gepraat, geschreeuw en gelach van de kinderen om hem heen wordt het geruis van de branding van de zee.

Het is niet druk op het strand. Een moeder met twee kleine kinderen. Een groepje mannen en vrouwen op een grote deken. Verderop een paar meisjes. En links daarvan, naast een rots ligt iemand alleen. Het is Nina. Daar is ze. Met zijn handdoek om zijn nek en de zonnebril op zijn voorhoofd loopt Arthur naar haar toe. 'Dag Nina.'

Het meisje kijkt op. 'Arthur!' roept ze. Ze springt op. En omhelst hem.

Arthur is groot en breed en bruin. Nina's haar sliert tegen zijn borst. Ze kust hem daar. Kleine kusjes, met kleine lachjes tussendoor. Terwijl hij over haar heen naar de zee kijkt. Het leven is mooi.

'Wat heerlijk dat je er bent,' zegt ze. 'Smeer je me even in?'

Ze strekt zich uit op haar handdoek. Op de buik. Ze heeft een gladde lichtbruine rug. Op haar linkerschouderblad zit een sproetje. En onderaan haar rug een kuiltje.

Als Arthur een paar druppels zonnebrand op haar rug knijpt, maakt ze een geluidje. Maar ze kijkt niet op. Dan begint hij haar te strelen. Hij smeert haar schouderbladen en haar nek. Nog een kneepje en naar beneden naar haar onderrug. En de taille. Twee kneepjes op de armen. Heen en weer. Zacht en warm.

Een harde bel en Arthur staat weer in zijn herfstkleren in de koude wind, op de harde tegels op het schoolplein. Nina is verdwenen. Ze zal tussen de anderen staan bij de deur.

De les begint. Nina op het strand is ver weg, een hele wereld ver weg.

Gevaarlijke woorden

Als Arthur zich heel ver voorover buigt, bijvoorbeeld om even over de rand van zijn tafeltje te kijken – er kan natuurlijk altijd iets gevallen zijn – en Nina leunt toevallig even naar achteren, kan haar haar tegen zijn neus en wang kriebelen. Dat lukt wel eens. Maar hij moet het niet te vaak doen. Dan gaat het opvallen.

Er wordt gelezen. Meneer Van Straten leest voor. En geeft soms de beurt aan iemand in de klas om het een stukje van hem over te nemen. Arthur haat dat. Hij is altijd doodsbenauwd dat hij aan de beurt komt. Voorlezen is het ergste. Het allerergste. Daarom duikt hij zoveel mogelijk weg. Achter Nina, tegen de vensterbank, bijna in de verwarming.

'En zo werd er een lange reis voorbereid. Alleen de sterkste en de beste zeelieden kwamen voor aanmonstering in aanmerking.' Meneer Van Straten heeft een saaie stem en het is warm in de klas. De wind en regen buiten maken het een donkere dag. Alsof het bijna avond is. Arthur sluit zijn ogen.

De klas verdwijnt niet. Dezelfde klasgenoten, meneer Van Straten, net zo donker buiten, net zo warm binnen. Dat komt niet vaak voor, dat de wereld met de ogen dicht dezelfde is als die met de ogen open. Dat kan toch niet? Er moet iets anders zijn. Maar wat?

Plotseling draait Nina zich naar hem om. Ze kijkt hem aan. Recht in zijn ogen. Meneer Van Straten valt stil. Iedereen kijkt.

'Jij bent het, Arthur,' zegt het meisje. 'En niet Richard. Richard is een aansteller. Hij doet zo stoer. Dat hij in het buitenland heeft gewoond en zo. Allemaal stomme dingen. Jij bent het, niet hij.'

Geroezemoes. Van bewondering. Natuurlijk. Wie had dat gedacht: dat Nina verliefd zou zijn op Arthur! Wie is Arthur nou helemaal? Hij staat altijd een beetje achteraf en verder niks.

'Jij bent het ook voor mij, Nina,' zegt Arthur zacht. Hij bloost niet en stottert ook niet.

Tegelijk staan ze op en pakken elkaars hand. Ze kussen. Zomaar in de klas. Waar iedereen bij is. En niemand die er iets van zegt. Ook meneer Van Straten niet. Die wacht gewoon.

'Arthur, lees jij even een stukje verder.'

Het is een stem uit het niets. Van buiten. Het is een stem van ver weg. Als je in een god zou geloven, zou je denken dat het de stem van God zou kunnen zijn. Arthur knippert met zijn ogen en kijkt om zich heen. 'Wat?'

Geroezemoes. Van spot. Gelach.

'Lees jij even een stukje verder.' Meneer Van Straten klinkt geïrriteerd. 'Zat je te slapen of zo?'

Arthur staart naar het boek dat hem voor zijn neus geschoven wordt.

'Daar zijn we,' zegt Van Straten en hij wijst een zin aan. 'Bij dat ze met het schip de haven uitvaren. Begin maar hier.' Hij loopt door naar voren en laat Arthur achter met de ellende. 'Komt er nog wat van?' klinkt het scherp. 'We hebben niet de hele dag.'

'Met alle zeilen gehesen vaart het schip van...' Arthur leest maar weet niet wat hij leest. Hij leest de woorden maar verstaat ze niet. Leest hij wel echt? Normaal? Of stoot hij vreemde klanken uit? Hij weet het niet. Zijn mond, tong, lippen, stembanden doen hun werk maar zelf is hij er niet bij. Sterker nog: ondertussen schieten zijn ogen naar voren. Om te kijken of er gevaarlijke woorden bij zitten. Iets met een moeilijke K of een vreselijke P of B.

Shit ja, ziet hij. Daar komt wat. Daar komt het woord 'karakter'. Daar verderop staat: 'De bootsman toont karakter.' Dat is vreselijk. Een B en een K aan het begin van een langer woord. 'Karakter' is een ramp.

Hij leest verder. Nog één zin en dan komt het. De zin leest hij. Wat hij gelezen heeft weet hij niet. En dan: 'De b-bootsman...'

Het zweet breekt hem uit. Hij duikt weg. Diep in het boek. Achter Nina. Tegen de verwarming. Doorzetten. Het was maar één B te veel. Het ging.

'De bootsman toont k-k toont k-k-k-'

Het is voorbij. Het gaat niet. Gelach om hem heen.

'De bootsman toont karakter,' zegt hij dan nog vlekkeloos, maar te zacht en te laat natuurlijk.

'Stop maar,' zegt meneer Van Straten. 'Ik lees zelf wel verder.

Een grote harige hand trekt het boek onder Arthurs ogen vandaan. Opkijken durft Arthur niet. Hij voelt zijn T-shirt aan zijn rug plakken. Een gezicht als vuur.

'Moet je maar opletten,' zegt meneer Van Straten.

Heel even kijkt Arthur op. Een blik naar voren. Naar Nina. Ze zit met haar rug naar hem toe. Onbeweeglijk.

Alsof ze het niet gehoord heeft. Nee, denkt hij, het is veel erger. Het maakt haar niet uit. Ik ben zelfs te onbelangrijk om uit te lachen of medelijden mee te hebben.

Van Straten leest door. Arthur sluit zijn ogen heel even. Het strand is weg. Er is alleen maar zwarte stilte.

De toneelspeler

'Dus net als elk jaar vragen we groep acht om het schooltoneelstuk te maken en te spelen.'

Ze zitten met zijn allen in kleermakerszit om de gymjuf heen. Op matten in de gymzaal.

Arthur speelt met de veters van zijn gymschoenen, om nergens anders naar te hoeven kijken.

'Dus mijn vraag aan jullie is nu, wie wil er meedoen?'

'Wat voor toneelstuk gaan we dan spelen?' vraagt Nina.

Ze zit recht tegenover Arthur. Hij kijkt op en ziet hoe ze glanst van enthousiasme. Natuurlijk. Nina wil toneelspelen. Heerlijk. Het liefste zou hij nu zijn ogen dichtdoen en bedenken hoe zij een prachtige filmster zou zijn. In een witte bontjas. Met rood gestifte lippen. Fotografen om haar heen. Op de première van haar nieuwste film. En Arthur zou haar begeleider zijn. De geliefde op de achtergrond, die haar ontdekt heeft toen ze nog op school zat. Toen nog niemand wist dat ze zoveel talent had en zo mooi zou worden. Het liefste zou Arthur daarover dromen. Maar dat gaat niet goed met je ogen open. En ogen dicht kan nu niet. Ze zouden het zien. En weer gaan lachen. Opsparen dan maar. Voor vanavond in bed.

'Welk toneelstuk. Goeie vraag.' De gymjuf kijkt de kring rond.' Er zijn allerlei mogelijkheden. Of we maken zelf iets, of we gebruiken iets van een vorig jaar of we nemen een bestaand stuk. Wat jullie willen.'

Arthur spitst zijn oren. Zelf een toneelstuk maken? Fantaseren over een andere wereld en die dan laten naspelen?

'Wie wil?' vraagt de gymjuf. 'Handen omhoog van wie wil.'

Nina steekt haar arm in de lucht. Zonder aarzelen. Met een blos op de wangen. En het gaat vanzelf: Arthur doet het ook. En er zijn er nog een paar. Een stuk of zeven anderen zitten te hengelen.

De gymjuf noemt ze op en schrijft mee. 'Nina. Mark. Charlotte. Inge. Barbara. Arthur.' Even aarzelde ze toen ze zijn naam noemde. Hij kijkt naar zijn schoenen.

Iemand grinnikt. 'Dat zal een lang stuk worden.' Een paar jongens brullen het uit.

Wacht even. Arthur plukt verward aan het plastic aan het uiteinde van een veter. Wat is er nou gebeurd? De gymjuf vroeg toch wie er een toneelstuk wilde schrijven? Of niet? Hij trekt het plasticje er af. Nu moet hij aan de veter likken als hij die door een gaatje wil halen.

'Zeven toneelspelers. Dat lijkt me een prachtig aantal,' zegt de gymjuf.

Arthur staart haar aan. Toneelspeler? Heeft hij zich opgegeven als toneelspeler?

Een geweldig, kinderachtig idee

'Ben je naar de k-kapper geweest?' Arthur stelt een overbodige vraag.

Moeder geeft een overbodig antwoord. 'Ja,' zegt ze dan ook nog.

Ze ziet er een beetje belachelijk uit, vindt Arthur. Kleding en haar staan op jong en aantrekkelijk, maar ze kijkt of ze net een citroen heeft opgegeten. En dan werkt het natuurlijk niet.

'We gaan er tegenaan, jongen,' zegt ze. 'We gaan er iets moois van maken.'

'Goed mam. Oké mam.'

'Je vader heeft gebeld. Hij komt vanavond langs.'

Arthur doet zijn best achteloos te blijven. 'O,' zegt hij alleen maar.

'Hij komt kleren halen. En wat andere spullen.' Ze trekt met haar mond. Een poging om te lachen. Het ziet er verschrikkelijk uit.

Arthur bedenkt hoe afschuwelijk dit allemaal eigenlijk is. Zo gespannen en verdrietig als ze er nu uit ziet, maakt ze ook minder kans. Waarom zou vader bij haar terug komen? Maar dat is het oneerlijke: het is zijn schuld dat ze er zo uit ziet. Als ze gelukkig is en niet haar best doet er jong uit te zien, is ze een knappe vrouw.

'Hij vroeg nog wel speciaal of jij thuis was.' Het is alsof ze het met spijt zegt. Met tegenzin. 'Hij wil zeker nog even afscheid nemen of zo.'

Even blijft het stil in de kamer. Arthur staart naar buiten. Regendruppeltjes aan de buitenkant van de grote ruit vinden hun weg naar beneden. Ze slalommen om hindernissen die niet te zien zijn.

'Ja,' vervolgt moeder,' want het ziet er nu toch echt heel serieus uit. Het is deze keer niet van: volgende week zitten we weer bij elkaar te tortelen. Nee nee. Zeker niet.'

Arthur reageert er niet op. Ze zegt steeds hetzelfde. Ze blijft er maar over doorgaan. Wat wil ze? Dat hij in huilen uitbarst? Dat hij gaat gillen? Nee. Huilen doen we niet. En schreeuwen ook niet. Dat maakt het alleen maar erger.

'Hoor je wat ik zeg, Arthur?'

'Ja, ik heb het gehoord. Ik hoor het. Laten we erover ophouden. Hoe laat komt-ie?'

'Tegen achten,' zegt moeder. 'Of wij er maar voor willen zorgen dat we thuis zijn.'

'Dat zijn we toch altijd? Om acht uur.'

'Daar gaat het niet om. Het gaat er om dat hij er niet meer van uit mag gaan dat wij elk moment van de dag klaar staan voor meneer.'

Arthur glimlacht even. Grote mensen zijn net zo kinderachtig als kinderen.

Plotseling veert moeder op. 'Wacht eens even,' roept ze enthousiast. 'Wacht eens even, ik weet wat.' Ze kijkt op haar horloge. 'Met een beetje geluk. Met een beetje geluk.'

Arthur kijkt haar niet begrijpend aan.

'We zouden toch een hond gaan halen? Dat is het,' zegt moeder. 'We gaan nu een hond voor je uitzoeken. Dat hij ziet dat we een hond hebben. Dat is prachtig.' Ze loopt naar de gang. 'Kom. We hebben geen tijd te verliezen. Mag je zo'n hond meteen meenemen? Dat zal toch wel? Kom. Wat een geweldig idee.'

Kinderachtig, denkt Arthur. Ongelooflijk kinderachtig. Maar mij zal je niet horen. Een hond is een hond en binnen is binnen.

Gewoon een hondje

Tientallen blaffende honden. En ook een heleboel stil-
le. Die gewoon in hun hok liggen te wachten. Of heen
en weer lopen als tijgers. Arthur vindt het erg zielig.
Niet dat ze er allemaal zielig uit zien. Sommige honden
zien er sterk en kwaad uit. Maar hun geblaf klinkt ook
pijnlijk. Rauw en schor.

'Kiest u er maar eentje uit, dan zal ik wel zeggen of
hij geschikt is,' zegt een man met een snor en een af-
zakkende spijkerbroek.

'Mogen we 'm meteen meenemen?' vraagt moeder.

'Voor mijn part. Als u een goeie uitzoekt.'

'Wachten al deze honden op een nieuw b-baasje?'
vraagt Arthur.

'Tja,' zegt de man. 'Maar et voor elke hond is er
iemand.'

'En dan?'

'Maak jij je daar nou maar niet druk over.' De snor
loopt langs de hokken en wijst. 'Hier hebben we een
lief beest.' Hij staat stil en wijst. 'Die is nog maar net
binnen. Er zit iets in van een boxer, denk ik. Lief met
kinderen.'

Een stevig bruin hondje met kleine kraaloogjes kijkt
Arthur aan. Hij ligt heel rustig met zijn kop op zijn
voorpoten. Alsof hij begrijpt dat hij dan meer kans

maakt om weg te komen. Maak jij je daar nou maar niet druk over. Arthur denkt over die woorden na terwijl hij verder langs de hokken loopt. Zou dat betekenen dat sommige honden doodgemaakt worden? Hij denkt dat het dat betekent.

'Lijkt me een prima keus,' zegt moeder nog bij het hok van de halve boxer. Ze kijkt op haar horloge. 'Arthur?'

'Nog even verder k-kijken.'

Een grote zwarte herder kijkt hem vragend aan. Dat ziet er uit als eentje met ervaring. Die heeft al een hoop meegemaakt in zijn leven. Arthur ziet het in zijn ogen. Al een paar keer in en uit geweest waarschijnlijk. In de beleving van dieren is het asiel natuurlijk hetzelfde als de gevangenis voor mensen. Als je je niet goed gedraagt dan kom je daar terecht.

Een klein wit sidderhondje. Aan lager wal geraakt na een leven vol luxe, denkt Arthur. Ze was natuurlijk een rijk schoothondje, dat de hele dag bonbons at, tot ze een keer wegliep met een kruising tussen een labrador en nog iets. Het wilde leven lokte. De stad in. Uitgaan. Vrijen achter een schutting. De labrador heeft haar verlaten. En toen is ze de weg kwijtgeraakt. En nou zit ze hier. Met spijt als haren overal.

'En deze?' Arthur wijst naar een middelgroot zwart hondje dat nergens op lijkt. Gewoon een hondje. Zwart, wat spichtig, beweeglijk.

De man komt toegelopen. Hij kijkt in het hok. 'Zou ik niet doen,' zegt hij. 'Is een fel beestje.'

Hij heeft het nog niet gezegd of het dier begint te grommen. Kort en fel. Alsof er motorsport op de televisie is en het geluid valt steeds even weg.

'Is-ie vals?' vraagt moeder.

'Nou vals, vals, vals,' zegt de man. 'Zo ver zou ik niet willen gaan. Maar een lieverdje is het niet.'

'Dus deze wordt d-doodgemaakt?'

Twee paar ogen kijken Arthur aan. Nee, drie paar. Ook het hondje lijkt onder de indruk van de directheid van de vraag. Het grommen stopt.

'Zou kunnen,' zegt de man na een korte aarzeling. 'Ik moet daar eerlijk in zijn.'

'Zo is het nou eenmaal,' zegt moeder. 'En soms is het ook maar het beste. Zo heerlijk is het hondenleven niet altijd. Zoals je ziet.'

Het zwarte hondje staat op en drukt zijn snuit tussen twee tralies door. Hij snuift. Arthur zakt op zijn hurken en strekt zijn hand uit.

'Pas op hoor,' zegt de man. 'Je weet het niet met deze.'

Maar Arthur weet het wel. Van binnen. Hij strekt een arm uit en streelt het beestje over de neus. Jij bent mijn vriend, denkt hij. Jij bent sterk en fel. Jij blaft en gromt als ze je pijn doen. Dat zou ik ook wel willen kunnen.

Het zwarte beestje jankt kort.

'Ik wil deze graag,' zegt Arthur.

'Ik was er al bang voor.' Moeder zucht.

'Ik zou het niet doen,' zegt de man. 'Hij heeft wel eens gebeten.'

Arthur staat op. 'En u dan? Heeft u nooit iets verkeerd gedaan?' Zijn stem klinkt soepel. De woorden stromen zo naar buiten. Zonder haperen.

De man kijkt hem verbluft aan.

'Arthur!' zegt moeder. 'Niet zo brutaal.'

Maar Arthur kan alleen maar glimlachen. Komt dat door de hond? Die jankt zachtjes. Arthur streelt zijn snuit.

Twee koningen

'Ik noem je Simba,' zegt Arthur. 'Van de leeuwenkoning. Dan zijn we twee koningen. Ik koning Arthur en jij koning Simba.'

Tegen een hond stotter je niet, realiseert hij zich. Tenzij je er op gaat letten. Dan ga je natuurlijk weer stotteren. Als je denkt dat je niet mag gaan stotteren, ga je het juist doen. Als je bang bent dat iemand het hoort. Dat je voor gek staat.

Simba ligt in de hoek van Arthurs slaapkamer. Achterdochtig. Hij kijkt en kijkt. En vertrouwt het nog niet. Hij ligt daar nu al een uur. Arthur is al een paar keer de kamer uit gelopen, in de hoop dat de hond achter hem aan zou komen. Maar dat gebeurde niet. Simba bleef waar hij was.

Arthur fantaseert dat hij in het oerwoud is en een gevaarlijke leeuw voor zich heeft. Een levensgevaarlijk beest, dat al drie mensen heeft opgegeten. En nu moet hij dood. De leeuw moet dood, roepen de mensen in het dorp. Okki ala oela. Of zoiets. Iets dat betekent: de leeuw moet dood. Okki ala oela. Okki ala oela oela. Hij moet echt dood. Ze roepen het met bloed in hun ogen. De leeuw is de misdadiger. Hij moet dood.

Maar koning Arthur wil het beest redden. Hij wil de leeuw naar een mooi wildpark overbrengen. Daar kan hij leven. Er zijn nog maar zo weinig leeuwen.

Om de leeuw heen staan mannen met speren en geweren, klaar om het dier te doden. Maar Arthur heeft gezegd: 'Nee. Wacht. Geef mij een kans.'

Iedereen houdt zijn adem in. Hij is gek. Dat hij dat durft. Waanzin. Een wild beest.

'Rustig maar, rustig,' fluistert Arthur de leeuw toe en schuift centimeter voor centimeter in zijn richting.

'Kalm maar.' Zelf rustig blijven. Nooit het oogcontact verliezen. Geen plotselinge bewegingen maken.

'Ik kom naar je toe. En ik doe je geen kwaad.'

Het dier is verward. Het is niet gewend dat een mens hem zo benadert. Met vriendelijke ogen en zonder wapens. Met de handpalmen naar hem toe. Kijk, geen wapens.

'Rustig. Ik wil je geen kwaad doen.'

Ze zijn nu vlak bij elkaar. Heel langzaam strekt de mens zijn hand uit naar het roofdier. Even trekt de leeuw met zijn kop. Maar aanvallen doet hij niet.

Dan streelt Arthur Simba. Eerst voorzichtig. Over zijn hoofd en zijn rug. Heen en weer. Steeds weer beginnend vlak boven de ogen en wegstrijkend naar de staart. Heen en weer. De leeuw knippert met zijn ogen en knijpt die even tot spleetjes. Koning Arthur glimlacht. Hij weet dat hij het pleit bijna heeft gewonnen. Het beest duwt zijn snuit tegen de arm van Arthur.

Het is doodstil in het oerwoud. Het is alsof elke papegaai en iedere kraanvogel de adem inhoudt. De leider is ongelofelijk. Het is hem gelukt te winnen van de natuur. Mens en wild dier zijn vriend geworden.

'Arthur,' klinkt dan een scherpe stem. 'Je vader is er. Arthur!'

Hij voelt hoe onmiddellijk zijn hart in zijn keel begint bonzen. Voor een wilde leeuw is hij niet bang, maar wel voor zijn eigen vader?

'Kom je mee, Simba?'

De leeuw verandert in een middelgrote zwarte hond die wegkruipt. Half onder het gordijn. Voelt Simba het ook?

Dag vader

'Het spijt me vreselijk, jongen. Maar ik kan er op dit moment niks aan veranderen.'

Arthur staat in de deuropening van de grote slaapkamer. Hij is niet meer bang. Zijn vader staat van hem afgedraaid en pakt zijn koffer. Het lijkt of hij zijn eigen zoon niet durft aan te kijken. De angst is omgedraaid.

'Hoe gaat het hier?' vraagt hij.

'Goed,' zegt Arthur. 'P-prima.'

Moeder komt van boven met nog een weekendtas. 'Zo,' zegt ze zo luchtig mogelijk. 'Hier is nog je tas. Heb je daar genoeg aan?'

Haar man antwoordt niet.

Zij zet de tas naast de koffer en loopt naar de badkamer. Niet dat ze daar iets doet. Ze loopt om te laten zien dat ze bezig is. Keert dan terug naar de gang.

'Wil je eh... willen jullie nog iets hebben of eh?' Haar hoofd wiegt zachtjes en met schokjes heen en weer. Net een pop aan touwtjes. Zenuwen. Dat is heel duidelijk. Dat ziet vader ook, denkt Arthur. Het heeft allemaal geen zin, dat toneelspel.

'Ik wou zo maar gaan,' zegt vader. 'Misschien is dat beter.'

'Wat je wilt,' zingt moeder opgeruimd en gaat.

En dan valt er een stilte. Zo'n lange zware rotstilte.

'Hoe lang blijf je weg?'

'Ik weet het niet.'

'Voor altijd?'

'Misschien. Maar ik zal je vaak opzoeken. Of jij komt bij mij. Dat wil je toch wel?'

'Goh,' zegt Arthur scherp. 'Eindelijk wordt mij ook eens iets gevraagd.'

Zijn vader kijkt hem aan. Met schuldige ogen. Heel goed, denkt Arthur. Hij doet ook maar en ik moet me maar aanpassen!

Een klein piepje klinkt vanaf de gang.

'O ja. We hebben een hond,' klinkt moeders stem triomfantelijk. Ze stapt weer de kamer binnen. 'Vergeten te vertellen. We hebben een hond. Een zwarte.' Simba trippelt achter haar aan.

'Simba!' Arthur gaat op zijn handen zitten en omhelst zijn hond. Simba is niet bang meer! Hij hoort hier thuis.

Vader kijkt om. 'O wat heerlijk,' zegt hij. Hij glundert naar zijn zoon. 'Dat is fijn voor je, jongen.'

Zoals zijn moeder kijkt. Dat zal Arthur nooit vergeten. Een blik waar zoveel tegelijk in zit. Boosheid. Verwarring. En ook nog blijdschap. En hoop. Zoveel tegelijk.

Ze pakt een lok van haar haar en trekt er aan. Alsof het een bel is. En ze blijft maar bellen. Ze lacht een beetje. Ze kijkt naar Simba en weer terug naar Arthur.

'Een hond,' zegt ze. 'Een hondje. Want nu kan het.'

Vader knikt enthousiast. 'Heel leuk,' zegt hij. En vervolgens: 'Dan ga ik maar.'

Hij pakt de koffer en de weekendtas en loopt naar de voordeur. Moeder knikt door haar knieën en valt weer tegen de kapstok aan.

'Dag Arthur,' zegt vader.

'Dag papa,' zegt Arthur.

'Dag,' zegt moeder.

'Dag,' zegt vader.

Even later gaat de voordeur zachtjes dicht. Niet in één keer, maar met twee klikken. Arthur bekijkt de gang vanaf een afstandje. Hij ziet een jongen met zijn hond en met zijn moeder. Die tussen de jassen hangt. Met heen en weer schietende ogen. Bellend aan een lok haar.

Arthur loopt door naar de kamer. Op de vlucht voor huilbuien en stiltes.

Als hij door het grote raam naar buiten kijkt, ziet hij de auto wegrijden. Zoals altijd zit zijn vader wat voorover, dicht bij het stuur. Naast hem een schim. Een schim met blond haar.

Heerlijke hotdog

Arthur slaapt niet. Nog niet of niet meer? Hij weet het niet. Hij ligt wakker. Maar met een vreemd gevoel van gelukzaligheid. Want naast zijn bed, op een deken ligt Simba. Een beetje te snurken. Zijn hond. Die ligt daar, als bescherming tegen alles. Tegen de wind. Tegen zijn vader. Tegen de kinderen uit zijn klas die hem uitlachen. Simba is zijn vriend. Nu al.

Arthur werkt bij de geheime dienst. De Europese geheime dienst. Iets wat zijn vader niet weet. En Arthur zit in de knoei. Iran en Irak zijn hem op het spoor. Ze weten wie hij is en wat hij doet. En hebben iemand achter hem aan gestuurd. Een blonde vrouw. Wie verwacht dat een blondine een Iraanse geheim agente is? Niemand. Het zijn professionals. De spionne heeft het aangelegd met zijn vader. Om dichter bij Arthur in de buurt te komen. Wat is haar opdracht? Hem te doden? Hij moet eerder zijn. Het is hard maar het moet. En zijn vader hoeft hij niets te vertellen. Die zou het toch nooit geloven.

Simba blaft in zijn slaap. Korte binnensmondse blafjes. Zijn ribbenkast gaat heen en weer met korte schokjes en een achterpoot schopt. Ook honden dromen.

Arthur laat zich ophalen door zijn vader en diens nieuwe vriendin. De vrouw behandelt hem alsof hij een klein kind is. Dat komt goed uit. Laat haar maar denken dat hij totaal ongevaarlijk is. Hij vraagt of ze naar Artis kunnen gaan. Vader en de vrouw vinden dat een prima idee.

Hij speelt zijn rol met verve, Arthur. Enthousiast huppelt hij van de apen naar het aquarium. Vader en de blonde vrouw wandelen rustig achter hem aan. Alles gaat zoals gepland.

Dan zijn ze bij de ijsberen. Een van Arthurs medewerkers staat onopvallend het wandelpad aan te vegen. Een stevige man. Klein van stuk, maar sterk als een beer. Als een beer, precies. Arthur kan een glimlach niet onderdrukken. Hij zegt dat hij honger heeft. Vader voelt zich schuldig over alles en doet daarom precies wat Arthur wil. Als hij hotdogs staat te bestellen roept Arthur de blonde vrouw. Of ze even komt kijken. Bij de ijsberen. Nietsvermoedend komt ze. Natuurlijk. Achter bij de hokken. Tik tik, hoge hakken. Het gebeurt allemaal in een fractie van een seconde. De ijzeren deur in het winterhok gaat open. Waar de ijsberen in en uit lopen. De deur gaat open en even later weer dicht. Het geschreeuw van de vrouw klinkt ver weg. Dikke, dikke muren. De kleine sterke man verdwijnt. In een paar seconden is hij weg. En Arthur gaat terug naar zijn vader. Heel rustig. Niemand heeft iets gezien. Er is niets gebeurd.

Simba maakt een geluid en heft zijn kop. Arthur kijkt. In het schemerdonker ziet hij het glanzen van een hondenoog. Dan legt het beest zijn kop weer neer en slaapt verder.

In de verte klinkt een harde gil. Een oerschreeuw. Vader vraagt zich af wat dat is. Arthur haalt zijn schouders op en neemt een flinke hap. De ketchup druipt langs zijn kin. 'Misschien een kraanvogel? Of een papegaai?' Heerlijke hotdog.

Een hommel in een bijenkorf

'We hebben een toneelstuk,' juicht de gymjuf. 'En ik denk dat het heel geschikt is. Het is een komedie. Om te lachen dus.'

Een paar kinderen lachen nu al. Stom, vindt Arthur, waar slaat dat nou op?

'Het is geschreven door Richard. Hij heeft vorig jaar ook meegedaan als acteur en hij vond het allemaal zo leuk dat hij nu zelf een stuk geschreven heeft. Knap hè?'

Arthur kijkt op naar Nina. Ze straalt en gniffelt iets met Charlotte, haar vriendin. Richard! Nou schrijft-ie ook nog toneelstukken!

'Het is voor zeven acteurs. Hij heeft het speciaal voor ons geschreven. Goed hè?'

De groep zit in kleermakerszit om de gymjuf heen. In plukjes. Nina en Charlotte bij elkaar. Mark en Frank. Inge en Barbara. En Arthur apart. Weer druk bezig met zijn veters.

'Voordat ik de rolverdeling bekend maak en de teksten uitdeel wil ik jullie een paar dingen vertellen over toneel. Of misschien weten jullie al het een en ander en dan wil ik dat graag horen. Iemand?'

Stilte. Iedereen zwijgt. Zoals altijd.

'Luister,' vervolgt de gymjuf, 'zo'n beetje de eerste toneelstukken die wij kennen werden geschreven door de oude Grieken. En als we het dan hebben over komedies, dan komen we al snel uit bij Aristofanes. Die schreef komedies. Behoorlijk rauwe en grove komedies. Veel met scheten laten en zo.'

Mark en Frank brullen het uit. Arthur kijkt naar ze. Kleine kinderen zijn het. Arthurs blik vol minachting treft, op de weg terug naar de veters, die van Nina. Ze kijkt hem recht aan en hoewel Arthur voelt dat hij onmiddellijk rood wordt, kan hij zich niet van haar losmaken. Hij blijft hangen. Hij zit vast. Het zijn zulke prachtige ogen. Wie er in kijkt, glijdt uit en valt kilometers naar beneden. Diep in een droomwereld. Wat is dat voor kleur blauw? Bewegende waterverf. Met groen en streepjes goud.

Nina glimlacht en slaat haar ogen neer. En Arthurs mond valt open. Zij sloeg haar ogen neer! Voor hem!

Onmiddellijk wandelt hij met haar langs het strand. Ze heeft haar haar opgestoken en draagt diamanten oorbellen, die net zo schitteren als haar ogen en de zee.

Even staan ze stil. Zij drukt zich tegen hem aan en kijkt hem in de ogen. Hij glimlacht.

Dan ziet Arthur hoe Mark, naast hem, hem bevreemd aankijkt en hij is weer terug in de gymzaal. Wie gaat er nou zomaar zitten glimlachen zonder dat daar een aanleiding voor is? Mark begrijpt daar natuurlijk niets van. Het kan Arthur opeens allemaal geen bal meer schelen. Hij heeft Simba en nu heeft hij ook nog een blik van Nina gekregen, met daarna het neerslaan van haar ogen. Niemand kan me nog iets maken, denkt hij. Ik lach en droom als ik daar zin heb.

'Beroemde comedyschrijvers van deze tijd zijn Neil

Simon uit Amerika en Alan Ayckbourn uit Engeland...'

Arthur stapt weer terug op het strand.

'Ik vind je zo lief,' zegt ze. 'En knap ook. Je bent echt een spetter.'

'Lieve Nina.' Zijn stem klinkt zacht maar krachtig. De woorden vloeien rustig en zeker over zijn lippen.

'Ik moet je iets vertellen,' zucht zij.

Hij staart over de zee. Wat moet ze hem vertellen? Arthur kan even niks bedenken. Is ze misschien zwaar ziek? Nee. Of zijn haar ouders niet haar echte ouders? Nee. Hou toch op. Heeft ze een ander misschien? Ja. Dat kan. Ze is ook verliefd op Richard. Dat kan kloppen. Ze is verliefd op allebei.

'Ik moet je iets vertellen.'

'...een bijenkorf.'

Arthur luistert niet naar wat de gymjuf zegt. Maar op de een of andere manier pikt hij de laatste woorden op en spoelt in zijn hoofd de tape even terug om te luisteren naar de hele zin: 'Het grappige van dit toneelstuk is dat het gaat over een bijenkorf.'

Een bijenkorf?

'Jullie zijn verbaasd natuurlijk. Een toneelstuk over bijen. Maar het is echt waar. Leuk hè?'

De gymjuf zegt de hele dag 'hè?' 'Leuk hè?', 'Goed hè?', 'Knap hè'. Het is de hè-juf.

Nina lacht, ziet Arthur. Zij vindt het wel leuk, een toneelstuk over bijen. Misschien heeft ze gelijk. Wie weet. Misschien is Richard een groot talent. Zoals die Simon uit Amerika of die ander uit Engeland. Kan allemaal. Richard kan alles.

'En dan wou ik nu overgaan tot het uitdelen van de

teksten en jullie op de hoogte brengen van de rolverdeling. Spannend hè?'

'Zoemzoem, ik ga jou steken,' buldert Mark.

Arthur kijkt weer even snel op naar Nina. Verrek. Ze kijkt weer. Het is een blik van verstandhouding. Zij vindt die grapjes ook stom. Nina is niet alleen mooi, ze heeft ook smaak.

'Het zijn allemaal verschillende bijen. We hebben werkbijen en soldatenbijen. De soldaten zijn Inge en Mark. Frank doet de schoonmaakbij. Barbara het lachbijtje. En dan hebben we natuurlijk ook nog de koningin. Dat is de hoofdrol en die is voor Nina.'

Daar lacht Arthur om. Als enige. Dat is mooi, vindt hij, Nina als koningin.

Stilte.

'En Arthur dan?' vraagt Nina.

'O ja, die heb ik nog niet gehad. Heel belangrijk. Zeer belangrijk.'

Arthur kijkt op van zijn veters. Iedereen kijkt naar hem.

'Arthur speelt de hommel. De hommel is verliefd op de bijenkoningin.'

Doodse stilte. En dan weer de irritante bulder van Mark. 'Een hommel! Een verliefde hommel!'

'Is een hele mooie rol hoor,' zegt de gymjuf met een kleur. 'Heel ontroerend.'

Nina kijkt Arthur weer even aan en glimlacht. Het lijkt niet spottend. Of minachtend. Hij bijt op zijn lip. Eigenlijk wil hij teruglachen, maar dat gaat niet. Zijn lip trilt.

'We gaan er met zijn allen iets moois van maken,' zegt de gymjuf. 'Goed van ons, hè?'

Veel K's en P's

Het is alsof het nooit anders is geweest. Simba ligt tegen zijn baasje aan op het bed. Hij mag niet op het kussen of onder het dekbed, maar wel bovenop. Dat was nog even een gevecht met moeder, maar er mag steeds meer de laatste tijd. En als het eenmaal mag kan het niet meer worden teruggedraaid. Zo gaat dat. Simba is er en Simba blijft. En Simba mag op het bed. Wat er ook gebeurt.

Arthur ligt op zijn buik en leest zijn rol. Die van de hommel. Hij vindt het een melig stuk. Het is nogal een melige hommel. Met allemaal flauwe grapjes. Over dat hij bang is dat hij aan de honing blijft kleven. Of verdrinkt in een glas limonade. Of dat ze hem doodspuiten met een spuitbus. Steeds dezelfde grapjes.

Simba kreunt en legt zijn hoofd op het papier.

'Nee Simba, ik wil even lezen.' Arthur duwt zijn kop weg.

De hond rolt op zijn rug en zwaait met een poot.

'Hou nou even op.'

Arthur leest. Hij ziet veel K's en veel P's. 'Kom je, koningin?' staat er twee keer. 'Ik ga de politie bellen!' staat verderop. 'De politie bellen. Een P en een B achter elkaar.' Arthur krijgt het nu al warm. Hij kijkt naar Simba en zegt het: 'De politie bellen. De politie bellen.

De politie bellen.'

Geen probleem. Maar ja. Simba is geen Mark en geen Frank. Simba is geen Nina. Simba is geen zaal vol met mensen.

Wat natuurlijk wel heerlijk is, is dat de hommel verliefd is op de koningin. Eén keer moet hij zeggen: 'Ik hou van je, koningin, ik hou van je.' Dat zal geen probleem zijn, denkt Arthur. Ik kijk in haar ogen en de woorden komen vanzelf.

Verderop praat de hommel met een van de soldaten. Met Mark. Daar moet hij dingen zeggen over de 'politie'. En over een 'korf', waar de bijen heen moeten vluchten. 'Korf'. Wat een rotwoord. Ik moet er 'mand' van maken, denkt hij. Hoewel. De M is ook geen pretje. En bijen wonen nou eenmaal in een korf.

Waar is hij aan begonnen? Arthur rolt op zijn rug en staart naar het plafond. Misschien is het anders als je het goed uit je hoofd leert. Als je je kan voorbereiden. Als je precies weet wat er komt. Maar dan nog. Een K is een K en een P is een P.

De bel. Simba springt op en blaft.

'Simba, koest!' zegt Arthur streng. 'Als de bel gaat, hoef je niet meer te blaffen. Dan weten we al dat er iemand aan komt. Je moet juist blaffen als ze stiekem door de tuin sluipen.'

De hond zwijgt en kijkt hem vragend aan. Dat vertedert Arthur. 'Ik maak maar een grapje,' zegt hij en slaat zijn armen om het beest zijn nek.

Hij krijgt een lik.

'Gelukkig.'

En nog een lik.

'Weet je wat we doen? Ik neem je mee naar de toneelrepetitie en als Mark en zo me gaan uitlachen, dan bijt jij ze dood. Oké?'

Simba blaft. Hij springt van het bed en er weer op en er weer af.

'Wat een bijzonder beest ben je,' zegt Arthur. 'Echt bijzonder. Kom, we gaan naar beneden. Kijken wie er is.'

'De politie bellen, de politie bellen, de politie bellen. Een korf. Een korf. Een korf.'

Een vreemde man

Er zit een man op de bank. Hij heet Andy. Hij schenkt moeders wijnglas steeds maar weer vol. Ze praten met zijn tweeën en lachen heel wat af. Het zijn grapjes die Arthur niet begrijpt. Hij begrijpt wel wat ze zeggen, maar niet waarom ze erom moeten lachen. Het zijn heel gewone zinnen. Zo van: 'We zijn allemaal mensen'. Of: 'Je lijkt een beetje op mijn tante Gerda.' Of: 'Een onbeslapen bed is koud in de winter.' En ze gillen het uit.

Moeder heeft blosjes op haar wangen. Steeds veert ze een klein stukje omhoog. Soms komt ze zelfs even helemaal los van de grote stoel, een paar centimeter, om er dan met een plof weer in weg te zakken. De man die Andy heet balanceert op het puntje van de bank en rookt sigaretten. Zonder filter. Hij zit steeds met zijn vingers aan zijn mond te plukken en doet felle spuugjes waarbij hij zijn tong tussen zijn lippen uit naar binnen trekt. De kamer is gevuld met rook.

Arthur en Simba, de twee koningen, zitten samen bij de eettafel. Niks te zeggen of te doen. Wat praten ze hard die twee, denkt Arthur. Die Andy schreeuwt bijna en moeder heeft opeens een hoge gillerige aanstellerijstem. Hoe lang gaat dit nog duren? Wanneer gaan we eten? Simba zal ook wel honger hebben.

'Ik moet zo aan het eten gaan werken,' zegt moeder, alsof ze haar zoons gedachten leest. Door de rook heen. 'Wil je blijven, Andy?'

'Ehhh,' zegt die. Een hele lange ehhh. Hij wisselt een korte blik met Arthur.

Die zijn gezicht strak houdt. Pokerface.

In het circuit staat hij er bekend om. In de professionele gokkerswereld. Arthur the pokerface. Als hij een van de illegale goklokalen binnenstapt valt er een stilte. Iedereen kent hem. Iedereen heeft ontzag. En waarom? Omdat er nog nooit iemand van Arthur gewonnen heeft.

'Graag een andere keer,' zegt Andy. 'Ik moet vanavond ehhh... Vanavond moet ik eh, eh ik moet nog wat. Zaken. Business. A man and his business.'

Buldergelach. Moeder gilt mee. Arthur kijkt naar Simba. Simba kijkt naar Arthur. Als een hond zijn schouders kon ophalen had Simba het nu zeker gedaan.

'Ik bedoel, mag het ook een andere keer?' lacht Andy. 'Maak je een andere keer ook eten?'

'Vast wel,' giert moeder. Ze veert omhoog en weer naar beneden. 'Een andere keer is prima,' zegt ze met glanzende ogen. 'Dan heb ik ook tijd om iets lekkers voor je te maken.'

'Wowowowo,' brult de man. En nu begint ook hij heen en weer te veren.

Arthur bekijkt hem en zit te verzinnen wat hij straks, later, vannacht, met die man zal doen. Misschien wordt hij uitgezet in een bos en gaan ze jacht op hem maken. Met een groep beroepskillers in jeeps en helicopters achter de prooi aan en wie hem het eerst door zijn kop schiet. Simba mag ook meedoen. Kan dat beest ook lekker zijn agressie kwijt.

'Ja, ik heb natuurlijk wel een kind thuis,' zegt moeder. In haar stem klinkt verontschuldiging.

'Natuurlijk. Prachtig toch. Hartstikke leuk. Arnold en ik kunnen het prima met elkaar vinden,' brult Andy.

'Arthur,' zegt Arthur. Eerst martelen, denkt hij. Dat sowieso.

'Wat vind je lekker?' vraagt moeder.

'Van jou alles.'

Nu lachen ze met zijn tweeën zo hard dat Simba van schrik een halve meter de lucht in vliegt. En ook daar wordt weer om gebulderd. 'Van jou alles!' Arthur weet wel waar dit om gaat. Heeft met seks te maken. Wat vind je lekker, vraagt moeder en ze doelt op groenten en vlees, maar Andy doet alsof het over seks gaat. Over vrijen en zo. En daar moeten ze dan zoooooo om lachen. Wat een lol. Wat een mop.

'Arnold kan er niet om lachen,' hinnikt Andy. 'Arnold heeft geen gevoel voor humor.'

'Hij heet Arthur,' zegt moeder.

'Grapje,' brult Andy. 'Geintje.' En hij slaat zich op zijn knieën.

Het is maar wat je gevoel voor humor noemt, denkt Arthur. Maar hij houdt zijn mond. Hij heeft toch niets in te brengen. De volwassenen doen maar en je moet je aanpassen. Zo zit het in elkaar. Als je twaalf bent heb je helemaal niets te zeggen. En bovendien: stel je voor dat je tegenover zo'n eikel zou gaan zitten stotteren!

Weg, weg van hier

'Wacht nou even. Dat gebeurt altijd hè,' zegt de gym-juf. 'Toneelspelers zeggen altijd dat ze het stuk niet zien zitten. Ook bij de professionals gebeurt dat. Dat is heel normaal hè?'

'Hoe weet u dat?' vraagt Mark.

'Dat is toch l-logisch. Jullie zijn onzeker. Daar komt het door.'

Arthur kijkt op van zijn veters. De gymjuf stotterde even. Was dat echt stotteren of was het wat iedereen wel eens heeft? Hij kijkt om zich heen. Er wordt ook helemaal niet om gelachen. Zouden de anderen het niet gehoord hebben? Als je zelf stottert en je let er heel erg op, lijkt het veel erger dan het is. Arthur weet dat wel. Hij weet alles van stotteren. Hij heeft er al zoveel lange uren over nagedacht. In bed. Op de fiets. In de klas. Waarom stotter ik? En waarom vind ik het zo erg? Mensen zeggen dat het charmant is. Zo erg doe ik het toch niet? Ik blijf gewoon een beetje hangen. Op de Engelse televisie doen ze het bijna allemaal. Waarom ben ik er zo bang voor? Waarom maak ik het zo verbo-den? De gymjuf stottert even en gaat dan gewoon weer verder. Een fout durven maken, noemt vader dat.

'Laten we nou maar verder gaan met de repetitie,' zegt de gymjuf. Je zult zien, als we het eenmaal goed gerepeteerd hebben vinden jullie het een heel leuk stuk en hebben we er veel succes mee.'

Nu stotterde ze niet, stelt Arthur vast. Zie je wel. Je maakt een fout en je gaat gewoon verder. In plaats van: je maakt een fout en schrikt daar zo van dat je nog een fout maakt, waardoor je nog erger schrikt, nog minder oplet, nog onzekerder bent en dan vervolgens een hele rij van fouten maakt.

Arthur sluit even zijn ogen. Nu ophouden, zegt hij tegen zichzelf. Ophouden met denken. Concentreren. Nu niet meer nadenken.

'De koningin vliegt tegen een grote net gewassen ruit en valt in het gras. Ze heeft zich pijn gedaan hè? Ga je gang, meisje. Je weet het wel hè?' De gymjuf springt heen en weer van enthousiasme.

Nina klimt op het paard, een van de gymtoestellen, en springt er af. Ze laat zich vallen en rolt nog een stukje door, zoals net gerepeteerd. 'Auw, auw,' kermt ze en staat moeizaam op, heel mooi. 'Mijn vleugels doen zo pijn, ze doen zo pijn!'

En daar komt Barbara op, gemaakt lachend. 'Hallo koningin, doet het pijn?' zegt ze, met rare klemtonen.

'Goed. Verder.' De gymjuf leest in het script. 'O ja. Ondertussen kijkt de hommel toe vanuit een zonnebloem,' dirigeert ze. 'Leuk hè?'

Arthur staat op, negeert alle blikken, schuifelt naar het afgeplakte gedeelte dat het toneel moet voorstellen, hurkt op de mat en kijkt toe.

'Hij kijkt heel erg verliefd!' De gymjuf zakt ook op haar hurken en kijkt met tot smalle spleetjes geknepen ogen. 'Ja prima, Arthur. Heel goed. Precies goed, die blik. Ga maar verder, meisjes.'

'Moet je daarom lachen?' vraagt de koningin, met heldere stem.

'Een beetje wel,' zegt het lachbijtje en ze giechelt nog een keer. 'En wat zeg ik dan ook alweer?' Barbara kijkt vragend op.

'Ja nee, niets meer, maar even terug,' zegt de gymjuf. 'Je moet iets doen als je dat zegt. Een huppeltje maken. Of een sprongetje. Om aan te geven dat je blij bent. Je bent toch blij, hè?'

'Een beetje wel.' Barbara maakt een huppeltje. Het ziet er een beetje dom uit. Ze moet er zelf om lachen.

'Goed. Oké. Laten we maar even verdergaan. Nu jij, hommel. Je komt uit de zonnebloem gevlogen.'

Arthur staat op en probeert nergens aan te denken.

'Je vliegt langzaam naar de twee meisjes toe.'

Arthur trippelt wat en probeert nergens aan te denken.

'Knielt voor de koningin.'

Arthur knielt en probeert nergens aan te denken.

'En zegt tegen haar...'

Arthur opent zijn mond. Hij weet het wel. Hij weet het. Maar toch staat hij weer op en vraagt: 'W-wat zeg ik ook alweer?'

'Kom je met me mee, koningin?' zegt de gymjuf. 'Ik zal je helpen.'

'O ja.'

Hij knielt weer. Heel langzaam. Statig. Maar van binnen is het anders dan van buiten. Van binnen is duizeligheid. Buikpijn. Te weinig adem. Te veel adem. Paniek.

Arthur opent zijn mond. Langzaam. Maar er komt geen woord. Helemaal niets.

'Kom je met me mee, koningin? Ik zal je helpen.'
zegt de gymjuf.

Niets. Arthur weet dat hij verloren is. Nu is het afgelopen. Zo simpel is het.

Arthur weet achteraf niet hoe lang hij daar op zijn
knieën heeft gelegen. Hoe lang hij zijn mond open
heeft gehad. Hoe lang het allemaal geduurd heeft. Hij
weet alleen dat hij op een gegeven moment is opge-
staan en weggerend. Naar de deur. De gang door.
Langs de kapstokken. Hij weet nog dat hij zijn jas heeft
gepakt en naar buiten de kou in is gerend. Die frisse
kou, waar hij helemaal alleen is. Hij weet ook dat hij
rechtstreeks naar huis is gerend. Zo hard mogelijk.
Door de heerlijke kou. Hij weet dat het al een beetje
schemerig was. Dat het rennen geen enkele moeite
kostte. Hij weet dat hij er vreselijk naar verlangde zijn
gezicht in de vacht van Simba te leggen.

Dat was het dan

Op de bank, tegen elkaar aan, zitten moeder en de man die Andy heet. Ze hebben Arthur niet horen binnenkomen, dat zie je aan de gezichten. De schrik zet alles even stil. Een foto, softfocus, want over het plaatje ligt een waas van rook: op de voorgrond op de tafel glazen en twee wijnflessen, één leeg, één halfvol. Naast de lege fles staat een asbak. Met daarin een verzameling peuken en een brandende sigaret, die op de rand ligt te walmen. Daarnaast een grote verkreukelde chipszak. Op de grond onder het tafeltje kruimels en een paar uitgeschopte damespumps. Boven de tafel de verschrikte gezichten van moeder en de man die Andy heet. Zij ligt wat onderuit in een korte rok en een klein truitje, met haar rug op de zitting van de bank en boven haar, rechtop, de man die Andy heet, met een rooie kop. Hij heeft zijn hand onder het truitje van moeder. Flits. De foto is gemaakt. Dan schiet moeder overeind en de hand van Andy trekt terug. En gaat richting de smeulende sigaret. Nerveus brengt hij die naar zijn mond, neemt een trekje en begint weer met zijn plukjes en spuugjes.

'Jongen toch,' zegt moeder. 'Wat ben je vroeg?'

Arthur haalt Simba aan, die tegen hem op springt.

'Dag Arthur,' zegt Andy nadrukkelijk. Hij neemt

twee korte trekjes achter elkaar en maakt de sigaret uit in het stapeltje peuken. En brandt daarbij zijn vingers.

'Shit. Auw. Shit.'

'Simbaatje, Simbaatje, Simbaatje.' Arthur valt op zijn knieën en verbergt zijn gezicht in zijn hond.

'Wat ben je vroeg. Wat is er?' Moeder is opgesprongen. Ze trekt haar kleren recht.

'Niks. Er is n-niks. Gaan jullie maar door. Ik ga naar b-boven.'

'Ik begin zo aan het eten,' zegt moeder. 'We zitten nog even met een wijntje.'

En ze ploft weer op de bank.

Arthur gaat de gang op. Simba dribbelt met hem mee. Hij kijkt vol verwachting op naar zijn baasje.

Die draait zich om, sluit de deur naar de zitkamer achter zich en is meteen heel ergens anders.

'Yes. Yes sir. Yes.'

Hij heeft contact met het hoofdkwartier door een zendertje. Een soort mobiele telefoon, maar dan minuscuul klein en in zijn oor ingebouwd. Onzichtbaar.

'We moeten weg, Simba,' zegt Arthur rustig. 'We zijn hier niet veilig. Kom.'

Hij loopt de trap op naar boven. De hond wacht tot Arthur halverwege is en neemt dan een spurt. Ze komen tegelijk boven.

'Kom.'

Arthur aarzelt niet. Hij is nu de zekere, doelbewuste agent die hij eigenlijk is. Het stotteren en de onzekerheid vormen de perfekte dekmantel. Wie verwacht van hem dat hij een van de gevaarlijkste en belangrijkste geheim agenten van de wereld is?

Hij gaat zijn slaapkamer binnen en knipt het licht

aan. Van onder zijn bed haalt hij zijn rugzakje tevoorschijn. Uit de kast grijpt hij twee T-shirts, drie onderbroeken, twee paar sokken, een trui, een spijkerbroek en zijn gymschoenen.

Er kan nog wat bij. Arthur kijkt om zich heen. Misschien een paar boeken? Nee. Te zwaar. De zaklantaarn misschien. Doet die het nog? Arthur probeert het. De lichtbundel is wat zwak en gelig, maar er is nog licht. Wacht! Geld is belangrijk! De spaarpot. Het is stil in huis. Veel te stil. Even nadenken.

Arthur klikt dan met zijn tong. Klak. 'Ik heb het.' Simba kijkt naar hem op. 'Natuurlijk. Dat is de oplossing.'

Hij legt zijn dekbed op de grond. Het stenen spaarvarken rolt hij erin. Hij neemt een aanloopje. En springt erop. Krak. Een zachte krak. Briljant. Beneden niet gehoord. Dat is zeker. Hij vouwt het pakketje weer open en verzamelt het geld. Alleen de grote munten en de briefjes.

'Kom.'

In de keuken vult hij de rugzak verder: een pak koeken, een fles sinas, twee appels en een paar bananen. Dat moet voorlopig voldoende zijn. O ja, en een pak hondenbrokken. Natuurlijk. Bijna nog het belangrijkste vergeten.

'Kom.'

In de gang trekt Arthur zijn warme jas aan. Simba springt en blaft.

'Nee Simba. Sssst.' Hij pakt de kop van de hond en drukt daar zachtjes op. 'Niet doen. Stil.'

De hond luistert. Binnen klinkt het weer gezellig. Wat ziet ze toch in die engerd? Met zijn tweeën was dan toch nog beter. Jammer. Dan maar zo.

Ze moesten eens weten.

Jas dicht. De hondenriem. De rugzak om. Arthur kijkt één keer rond en stapt dan de kou in, met Simba achter hem aan.

'Dat was het dan,' zegt hij zacht. 'Ik kom hier nooit meer terug.'

Nu of nooit

Er zijn vier sporen voor de treinen die de hele dag af en aan rijden, met daartussen twee brede perrons, en daarnaast ligt een terrein waar treinen stil staan. Arthur heeft daar vaak in de buurt gespeeld. Het was natuurlijk altijd streng verboden terrein. Dat zeiden zijn ouders en ze zeiden het op school. Dat maakte het altijd juist zo aantrekkelijk.

Geheim agent A-punt-11 – zijn codenaam – is dankbaar voor de kou en de duisternis. Wie niet hoeft, loopt nu niet op straat, en al zeker niet op het rangeerterrein van het station. De omstandigheden zijn dus ideaal. En Simba gedraagt zich voorbeeldig. Hij blaft niet, trekt niet. Loopt rustig mee. Is als vechtmachine perfect getraind. Hij komt alleen in actie als dat noodzakelijk is. Opvallen is funest. 'Trek niet meer aandacht dan strikt noodzakelijk is.' Dat is het eerste wat je leert.

A-punt-11 kijkt om zich heen. Dat valt tegen. Meestal staan er meerdere goederentreinen klaar, vanwege het industrieterrein achter het station. Nu is het niet veel. De meeste zijsporen zijn leeg. Achteraan staat een trein voor personenvervoer, en er staat halverwege nog een loc met een paar dichte wagons erachter. Maar dat is het enige. En die dichte wagons zien er erg dicht uit.

Logisch natuurlijk. Om deze tijd.

Arthur zucht een stroom mist voor zich uit. Dan, na een paar korte blikken naar links en rechts, stapt hij het perron af. Het moet toch mogelijk zijn? Alles kan! A-punt-II faalt nooit.

'Kom. Zachtjes. Kom.'

Ze lopen. De loc verderop boezemt hem angst in. Alsof het een groot zwart monster is dat ieder moment wakker kan worden. Maar hij kan vertrouwen op Simba. Op zijn neus. Op zijn instinct. Als hij niet reageert is er geen gevaar.

'Hierheen. Zachtjes.'

De eerste wagon zit dicht. Potdicht. Op slot? Waar zit het slot? Er is geen sleutelgat. Kan je deze deuren openschuiven? Misschien moet je iets wegklappen? Shit. Wat is het donker. En koud.

Volgende wagon. Zelfde verhaal. Hoe maak je zo'n grote deur open?

Dan plotseling klinkt er een mannenstem.

'Sssst Simba. Stil.' A-punt-II drukt zich tegen de grond. De hond doet hetzelfde. Wat een intelligent dier, denkt Arthur.

Verderop, bij de sporen en de perrons waar het licht is, loopt een man. Met een zaklantaarn. Hij komt in hun richting.

'Kom Simba, kom. Zacht.' A-punt-II loopt naar achteren en sluipt om de goederentrein heen. Naar waar het nog donkerder is. Hij kijkt op het laatste moment nog eens om. De man stapt net uit het licht en wordt nu een dansend lampje in het zwart. Dat steeds dichterbij komt.

'Kom.' Weer richting de loc. Maar nu aan de andere

kant. Over een betonnen pad. Een soort klein en laag perron. Daar staat een deur open! De schuifdeur van een van de wagons staat open. Met daarbij, ernaast op de grond, een steekkarretje met dozen er op. Shit, die man is hier bezig! Arthur kijkt om zich heen en weet dat hij snel moet zijn. Voetstappen in het grind aan de andere kant van de trein! Het is nu of nooit.

A-punt-11 pakt zijn hond op en zet die in de openstaande wagon. Hij klimt er zelf achteraan.

'Kom.' Ze schuifelen verder naar binnen. Dit noem je geen donker meer. Dit is zwart. Dit is het niets. Arthur tast: het koude karton van dozen. Buiten klinken de voetstappen steeds luider. 'Hierheen Simba,' fluistert hij en duwt de hond voorzichtig verder naar achteren de wagon in. Er worden al wat grijze contouren zichtbaar. Stapels dozen. Met een smalle gang tussen dozen en wand van de wagon. 'Kom.' Ze schuiven naar achteren.

De man is bij zijn steekkarretje. Ze horen hem bezig. Het geluid van metaal op metaal.

Voorzichtig gaan ze verder. Zo zacht mogelijk. Voetje voor voetje. Buiten wordt er gelukkig veel lawaai gemaakt.

Dan, opeens, is er wat ruimte. Op een paar houten kisten achterin. Dat is de plek. 'Kom. Snel.' Arthur schuift de rugzak naast de kist, tilt Simba erop en klimt zelf. Net op tijd. De wagon trilt van nieuw gewicht dat naar binnen gezet wordt. A-punt-11 zakt op zijn hurken en omklemt zijn hond. 'Stil maar, stil maar,' fluistert hij Simba in het oor. 'Rustig wachten.'

Het lijkt of het nooit ophoudt, maar dan, na minutenlang bonzen en beuken, rolt met een geweldig gekraak en gepiep de deur dicht. Al het grijs is in een klap zwart geworden. Het geluid van de voetstappen sterft weg.

Wereldreizigers

Arthur zoekt op de tast de zaklantaarn en knipt hem aan. 'We zitten opgesloten, Sim.'

De hond kwispelt.

Arthur is nu toch wat minder vrolijk. Het begon heel spannend, als in een film. Maar nu is het erg echt geworden. Ze zitten opgesloten in een volgeladen wagon. Die trein gaat straks natuurlijk rijden. En waarheen? Denemarken? Polen? Hongarije? Treinen gaan meestal ver. Hoe lang duurt zo'n reis? Een paar dagen misschien wel. Een paar dagen in het stikkedonker? Arthur omklemt zijn hond. Hij krijgt een lik in zijn gezicht.

Hij kan nu niet meer terug. Goed. Prima. Hij heeft gekozen. En staat er niet helemaal alleen voor. Simba is er.

Een pak koeken, een fles sinas, twee appels en een paar bananen. En een pak hondenbrokken. Dat is wat hij heeft. Daar red je het niet lang mee. En moet Simba sinas drinken? Een hond kan je toch geen prik voorzetten?

Arthur schijnt met de zaklantaarn om zich heen. Op de kist naast hun ligt een stapeltje verhuisdekens. Zwart en grijs met hier en daar een doffe rode streep. Op handen en voeten kruipt hij er naar toe. Erg zacht en erg fris zijn ze niet. Maar het zijn er flink wat. Zeker tien. En ze zijn droog.

'We kunnen een bed maken, Simba. En elkaar warm houden.'

De hond blijft kwispelen. En terwijl Arthur de dekens uitvouwt en van de bovenste vier op de eerste kist een groot matras maakt, bedenkt hij wat voor leven Simba gehad moet hebben totnutoe. Misschien is hij geslagen en geschopt. En nooit in het bos geweest. Je hebt van die mensen, die het niets interesseert of hun dier pijn of verdriet heeft. Het maakt ze gewoon niet uit. Simba heeft dat meegemaakt, denkt Arthur. Daarom vindt hij dit allemaal prachtig. Hij heeft een baasje dat van hem houdt. En ze zijn op avontuur. Wat kan er gebeuren?

'Als ik jou niet had,' zegt Arthur, 'was ik hartstikke bang geweest.'

Hij zou die mensen willen straffen, die dierenbeulen. Ook een favoriete dagdroom. Hij denkt er aan hoe hij zo iemand zelf in de vrieskou aan de ketting legt. Buiten. Zo, dat hij in het huis dat hij moet bewaken naar binnen kan kijken. En daar ziet hij allemaal honden kerstmis vieren. Lekker binnen, bij de open haard. Met heerlijke warme gerechten. Wat honden lekker vinden. Pens met truffelsaus. Brokken met poedersuiker. Paardenbiefstuk met boterjus. En het water dat ze drinken, die honden daar binnen, is speciaal geïmporteerd Schots bergwater. Peperduur. En hij, die man, buiten aan de ketting moet betalen. Alles. Ze vieren eerste tot en met zevende kerstdag en dan oud en nieuw er nog achteraan. Als de man niet dood is inmiddels, gestorven van de vrieskou, moet hij ook buiten blijven tijdens het vuurwerk. Krijgt hij al die rotjes en voetzoekers om zijn oren.

'Koud hoeven we het niet te hebben,' zegt Arthur. Hij legt vier dekens over elkaar als dekbed. 'Kom maar.'

Simba piept en kruipt naar zijn baasje toe. Het kwispelen van zijn staart bonkt op de kist. Bonk, bonk.

'Je blijft nu altijd bij mij, Simba,' zegt Arthur. 'Je hoeft nooit meer aan de ketting.'

Daar liggen ze samen. Op vier dekens en onder vier dekens. Het stinkt wel een beetje. Muf. Maar als je door de wereld trekt, van het ene land naar het andere, trek je je daar niks van aan. Wereldreizigers, dat zijn we, denkt Arthur. Die al veel samen hebben meegemaakt. Overal komen we naar binnen, altijd regelen we iets te eten. Nergens zijn we bang voor. Wij zijn de koningen van het vrije leven.

Simba is warm. Arthur kruipt tegen hem aan. 'Ik doe de zaklantaarn maar uit, Sim,' fluistert hij. 'Anders gaan de batterijen op.'

De hond bonkt een keer met zijn staart op de kist. Het lijkt dan net of hij praat. Een bonk is 'ja', twee bonken 'nee'.

Twee bonken van de staart en Simba legt zijn hoofd neer. Bijna tegen dat van Arthur aan.

Te weinig eten

Arthur wordt wakker. Langzaam. Even denkt hij dat hij thuis is. Dat zijn vader en moeder beneden zitten te lachen en wijn drinken. Dat er geen trein is, geen toneelstuk, geen Nina, geen Andy. Dan realiseert hij zich met een schok de werkelijkheid, dat hij opgesloten zit in een donkere trein en dat ze rijden. Ze zijn onderweg. Hoe lang al? Waar naartoe? Hij heeft geen idee. Hij kijkt om zich heen. De dozen en kisten zijn donkergrijs. Er is iets van licht. Waar komt dat vandaan?

Hij krijgt een lik over zijn neus. 'Goedemorgen,' zegt hij. De hond is echt. Dat is de troost. Zonder alle toestanden was Simba er ook niet geweest.

'We zijn op weg, vriend,' zegt Arthur. 'Naar Polen, denk ik. Wil je wel met mij in Polen wonen?'

De hond kruipt met kleine korte beweginkjes een paar centimeter naar voren. Hij piept.

'Wat is er? Heb je dorst? Heb je honger?'

Ja natuurlijk. Dorst. Honger.

Arthur pakt zijn rugzak uit en legt alles op de dekens. Een pak koeken, een fles sinas, twee appels en een paar bananen. En een pak hondenbrokken. Tja. 'Wil je sinas?' Hij kijkt om zich heen. Het beest kan toch niet uit de fles drinken? 'Ik heb geen bak, Simba. Ik ben je bak vergeten.'

Het woord 'bak' wordt verstaan. De hond springt op en piept harder. Met een blaf erachteraan.

'Shit,' zegt Arthur. 'Je hebt echt dorst hè?' Hij draait de sinas open. Pssss. Simba snuffelt er aan. 'Kom maar. Kom.' Arthur houdt de fles een beetje scheef, met de opening naar Simba's bek toe. Die likt. Hij likt en slobbert. En proest. Een hond die prik drinkt! Het beest kijkt hem aan met een scheef hoofd en kwispelt. En likt zijn lippen. Arthur moet lachen en vergeet de fles recht te houden. Een flinke scheut gaat er naast en valt op de dekens. Alles wordt nat. Nog een paar slobbers voor Simba en de fles is leeg. Dat is dan maar zo.

'Wacht even. Even wachten. Wil je iets eten? Brokjes?'

Dat gaat natuurlijk beter. Die kan je gewoon over de deken uitstrooien. Als pepernoten. Simba eet en eet. Hij schrokt. Nog meer en nog meer. Ik heb te weinig, bedenkt Arthur met schrik. Ik heb voor ruim één maaltijd. Meer is het niet. Als dit zo doorgaat, is alles over een uur op.

De hond schrokt en slobbert en denkt niet aan de toekomst. Misschien heeft hij gelijk. Misschien moet je zo leven als je een echte zwerver bent. Niet denken aan later, gewoon doen.

Arthur hapt in een koek en pelt de banaan. Vooruit dan maar. Terwijl hij eet kijkt hij om zich heen. Er komt toch echt wat licht van buiten. Het flitst vaag. Iets sterker, iets zwakker, iets sterker, iets zwakker. Achter de dozen moet een raam zijn. En buiten waarschijnlijk straatlantaarns. Dat betekent dat het nacht is. Maar straatlantaarns langs een spoor? vraagt Arthur zich af. Waar zijn we? Hoe lang hebben we geslapen?

71

Simba wil nog meer brokjes. Terwijl Arthur het pak leeg schudt op de dekens, kijkt hij naar de donkere dozenwand. 'Wat zou er in die dozen zitten, Simba?'

Arthur eet een koek, de banaan en nog een koek. Hij zit, kijkt en denkt. Dozen die naar Polen gaan. Wat stuurt Nederland naar Polen? Boter? Jenever? Chocola?

'Kom op. We zijn zwervers.' Hij gaat op de kist staan en schuift de bovenste doos naar zich toe. Zwaar? Nee. Het gaat. Hij krijgt de doos voorzichtig naar beneden. In het vaag flitsende oranjegele licht leest Arthur een nummer op de bovenkant. Een lang nummer. Verder niks. Toch wel spannend.

'Openmaken, Simba?'

De hond kijkt hem verwachtingsvol aan. Die vindt alles best natuurlijk. Dat is een voordeel van hond zijn: als je iets steelt, kom je niet in gevangenis. Iedereen vindt het heel gewoon dat honden stelen. Foei, zeggen ze, stoute hond. En verder niks.

'We doen het,' zegt Arthur. Zijn hart klopt in zijn keel. Nu gaan ze stelen. Nu worden ze criminelen. Op dit moment.

De bovenkant van de doos is dichtgeplakt met breed tape. Slordig gedaan. Arthur trekt. Simba zit er opgewonden naast. Hij staat op en gaat weer zitten. En nog een keer. Hij kan niet wachten.

'Wat is dit nou?' Uit de doos haalt Arthur een kleinere doos, met kleurtjes bedrukt. En versiering. 'Wat is dit?' Hij kan het niet goed zien. De kartonnen deksel scharniert naar een kant open. 'Wat zit hier nou in?' Het voelt koud. En rond. En nog iets anders. Dat kraakt. En iets van een fles of zo?

'Simba!' Arthur schreeuwt het bijna uit. 'Simba. Het

zijn kerstpakketten! Kerstpakketten!'

De hond kwispelt. Bonk, bonk, bonk op het hout van de kist.

Het ronde is een worstje. De fles een fles wijn. Het krakende een zakje met kerstkransjes.

'Kerstpakketten!' Arthur zoekt verder. Haalt er uit wat er in zit en houdt het naar het licht: een potje kippensoep, paté, kaasjes. En kijk. Dat is toevallig. Zo'n blauw flesje water. Duur water. 'Waar ik over gedroomd heb!' Arthur lacht. 'We zijn gered. We hebben te eten en te drinken!'

Op dat moment begint de trein vaart te minderen. Zijn de kerstpakketten in Polen aangekomen?

Altijd goed kijken

Bonkend stopt de trein. Hij staat even stil. Rijdt nog een stukje en stopt dan weer. Van buiten, ver weg, komen geluiden. Mensen. Machines. 'Stil Simba, stil. We zijn nu criminelen. We hebben gestolen. Stil.'

Er klinken voetstappen. Ze komen dichterbij. Gaan vlak langs. En verwijderen zich weer. Arthur houdt zijn adem in. Hij wacht.

Het duurt lang. Een kwartier? Een half uur? Tijd is moeilijk te schatten als je zo geconcentreerd bent, bedenkt Arthur zich. Maar het moet. Hij moet zich stil houden. Dat lukt. Natuurlijk lukt het. Niet voor niets noemen ze hem de panter. Omdat hij zo snel is. En het geduld heeft om uren doodstil op een boomstronk te gaan zitten wachten. Doen panters dat? Nu wordt Simba onrustig. Hij kijkt over de rand van de kist.

'Nee Sim. Nog even wachten. Het is nog te gevaarlijk.'

Dan nogmaals de voetstappen. Verderop weer dat geluid van metaal op metaal. Daar wordt een deur opengeschoven. De deur van een wagon.

'Ze gaan uitladen,' fluistert Arthur. 'Shit. Ze gaan uitladen.' Hij luistert. Spitst zijn oren. Nee. Niet uitladen. Daar klinkt nog een deur. Nu dichterbij. Ze gaan alle wagons open maken. 'Nu heel stil, Sim. Echt heel stil.'

De volgende deur schuurt open. Vlakbij nu. Dan nog een. Daar klinken de stappen weer. Zand en grind. Arthur omklemt Simba's bek, maar die wordt daar onrustig van. Hij wil gaan blaffen. Dat voel je. 'Sssst. Stil. Alsjeblieft,' smeekt Arthur op fluistertoon.

Keihard gepiep. Ruw geschuif. Pijn aan je oren. Het is de deur van hun wagon. Achter de wand met dozen trekt er een streep geel licht. Fel licht, na al die duisternis.

Koude wind. De voetstappen gaan verder. Nog eens dat geluid. Hoeveel wagons heeft deze trein? Arthur probeert iets terug te halen van gisteravond. Hij weet het niet meer. Het was te donker. En hij heeft ook niet goed gekeken. Dat is niet slim, dat moet hij voortaan beter doen: altijd goed kijken.

Nog een bonk verderop en daarna is het stil. Alle deuren zijn open. De voetstappen komen terug, lopen langs en sterven weg.

'Nu,' sist Arthur. 'Nu of nooit.'

Snel stopt hij de inhoud van het kerstpakket in zijn rugzak. Pakt uit de doos nog een pakket en leegt dat ook. Paté. Chocola. Flessen water. Kaaskoekjes. De rugzak zit meer dan vol. Hij hangt 'm om. Blijft nog haken. Trilt. 'Kom Simba,' hijgt hij. 'Kom.'

Ze lopen langs de wand met dozen naar de opening. Een wijd geel vierkant. Arthur houdt zijn hond stevig vast bij zijn halsband en steekt zijn hoofd buitenboord. 'Nu! Kom.' Hij springt naar buiten, Simba met zich meetrekkend. Die valt half achter hem aan. 'Kom Simba, kom.' Er is geen tijd voor troost of voorzichtigheid.

Links of rechts? Licht of donker? Mensen of verlatenheid? Arthur loopt een paar passen naar links. Brutaal. Naar het licht toe. Ik ga onder de mensen, spreekt hij zichzelf toe. Kan toch? Niemand kan zien dat ik geen Pool ben. Ik ben een Poolse jongen die zijn hond uitlaat, 's morgens heel vroeg. Poolse jongens staan altijd om een uur of zes op. Gaan dan naar buiten en nemen vaak een rugzak mee. Met van alles en nog wat. Voor je kan niet weten. Arthur grinnikt om zichzelf, ondanks alles. Dat lucht ook nog een beetje op. Hij probeert niet te gehaast te lopen.

Het gaat goed. Verderop op een perron staan mensen. Is het al bijna ochtend? Gaan zij naar hun werk? Als ik tussen de mensen ben, ben ik veilig, denkt Arthur. Dan ga ik op in de massa. Hij is er bijna. Bijna bij het begin van het perron. Vanaf dat moment is hij gewoon een reiziger. Veilig. Bijna, bijna. Nog tien meter. Vijf. Twee.

'Hé! Waar kom jij vandaan?' Een harde stem. Schuin van achteren. 'Hé! Wacht jij eens even! Wat doe jij hier?'

Vluchten en dromen tegelijk

Arthur denkt niet na, hij begint meteen te rennen. Zonder om te kijken. Hij sprint naar het begin van het perron, springt er op en rent. Het gaat vanzelf. Simba voelt blijkbaar dat het geen spelletje is. Hij draaft mee. Trekt niet. Blaft niet.

Mensen kijken op. Arthur ziet verbaasde gezichten. Nieuwsgierige gezichten. Van Poolse mensen op weg naar hun werk. Hoewel, Poolse mensen? Die man die naar hem riep, sprak Nederlands. Goed, dat kan. Die hoort bij de trein.

Arthur rent. Pech voor de achtervolgers dat ik Nederlands kampioen 800 meter ben, bedenkt hij al rennend. En Europees jeugdkampioen op de marathon. Dat ben ik ook.

Arthur rent. Een meneer verderop zet zijn tas neer en gaat staan alsof hij van plan is zich er mee te gaan bemoeien. Ze denken natuurlijk dat ik iets gestolen heb, realiseert Arthur zich. En dat is ook nog zo. Hij zwenkt naar rechts. Een bankje. Hup, erover heen. Simba volgt. Jeugdkampioen 200 meter horden. Met hond.

Daar. Het perron af. Waar is de uitgang? Het is net een schokkerige film. Iemand met een bekertje koffie. Twee opgemaakte meisjes. Een vrouw met een klein hondje, keffend naar Simba. Over elk beeld kan je een

77

verhaal dromen. Zelfs terwijl je op de vlucht bent. Daar staat 'Uitgang'. Snel. Simba voelt waar ze heen moeten.

Buiten het stationnetje een provinciale weg. Met weer de keus: links het licht en huizen en verkeer, rechts het begin van een lange zwarte weg. Nu kiest hij anders. De duisternis.

'Kom Simba, kom.' Arthur kijkt niet om. Zo hard rennen als mogelijk is, daar gaat het nu om. Is er nog een achtervolger? Niet nadenken. Doorrennen. Hij begint last te krijgen van de rugzak.

Hij houdt in zodat hij om zich heen kan kijken. En meteen wordt het zwart voor zijn ogen. Even stoppen. Simba wil verder. Trekt naar links en naar rechts. Blaft. 'Even wachten, Sim. Ik kan niet meer.' Arthur buigt voorover. Hij steunt op zijn knieën en hijgt. Korte, heftige bundels adem in de kou.

'Ik ben kapot. Ik ben kapot.'

Dan kijkt hij om. En ziet niets. Niemand. Een donkere weg. Met in de verte de lichtjes van het station. Geen achtervolgers? Of zijn ze al afgeschud? Verbaasd achtergelaten? Natuurlijk nog nooit meegemaakt dat iemand zich zo snel uit de voeten maakt. Langzaam wordt hij rustiger. Zie je wel. Het gaat goed. Even pauze en dan rustig verder. Zonder zorgen. Hij kijkt om zich heen. Bij het station dan opeens twee bewegende lichtjes. Een auto. En hij komt deze kant op! In paniek kijkt Arthur om zich heen. Daar, verderop, aan de overkant van de weg is een weggetje. Jammergenoeg is hier geen bos. 'Kom Simba, kom.' Samen steken ze de weg over. Weer rennen. Bijna vallen. De rugzak bonkt op zijn rug. 'Hierheen!'

Het weggetje blijkt een pad: gras met twee dunne zandstrepen: een karrenspoor. Waar gaat het naar toe? Links en rechts afrastering. Prikkeldraad. Het einde van het pad is niet zien.

Rennen gaat niet meer. 'We zijn ze kwijt, Simba,' zegt Arthur. 'Nu vinden ze ons niet meer. Doe maar rustig. Rustig.'

Dan opeens flitst er licht onder hun voeten door. Arthur draait zich om. Niets te zien. De auto zal voorbijgereden zijn. Rustig nu. Er is niks aan de hand. Je schrikt omdat dit een heel nieuwe situatie is, maar het valt allemaal mee. Een man zag een jongen lopen, met een hond. Hij wilde weten wie zij waren, waar ze naar toe wilden, maar de twee zijn weggerend. Dus? De man heeft zijn schouders opgehaald en is verdergegaan met zijn werk. De kerstpakketten moeten worden uitgeladen. De Poolse winkels zitten er op te wachten. Poolse winkels? Arthur staat stil. Polen? Er stond 'Uitgang'. Dat is geen Pools. Wat is 'uitgang' in het Pools. Dat zou iets van 'Jotzbrod' zijn geweest. Of 'Krenskjor'. In ieder geval geen 'Uitgang'. Is dit Nederland? Hoe lang heeft hij geslapen in de trein? Het kan de hele nacht zijn of een half uur.

'Zijn we nog in Nederland, Simba? Wat denk jij?'

De hond kijkt naar hem op en blaft.

'Ssst,' doet Arthur onwillekeurig. Maar lacht dan. Ach nee. Ze zijn nu veilig. In dit veld is niemand. Zelfs geen koeien. Hier heeft niemand iets te zoeken, behalve Arthur, die eindelijk zelf bepaalt wat hij doet. Zijn vader is weggelopen en zijn moeder ligt op de bank met eikel Andy. Hij gaat nu zijn eigen weg. Simba piept kort en duwt zijn kop tegen Arthurs been. Die

79

knielt en omhelst hem. 'We zijn veilig nu. Je bent de beste hond van de wereld.'

Dan flitst er ineens weer licht. De auto houdt in, rijdt voorbij, en keert dan achteruit weer terug. De lichten schijnen het pad in. Arthur kijkt om zich heen. Links en rechts prikkeldraad! Hij kan geen kant op. Hij staat daar, vastgenageld in het licht van de ongedimde koplampen.

De auto hobbelt naderbij en stopt. De lichten blijven aan. Er klinken twee portieren. Schimmen die voor de auto komen en zo de bundels licht laten flitsen. Simba blaft.

'Politie!' wordt er dan geroepen. 'Houd uw hond vast! Houd uw hond vast! Dit is de politie!'

Waar is mijn hond?

'Hoe heet je?'
Stilte.
'Waar kom je vandaan?
Stilte.
'Hoe kom je aan die spullen?'
De man die tegenover hem zit praat vriendelijk, geeft een kopje thee. Dat zijn de gevaarlijksten, weet Arthur. Ondervragers kennen een rolverdeling: de harde en de vriendelijke. De vriendelijke slaat onverbiddelijk toe op de onverwachte momenten. Kopje thee, koekje, babbeltje over het weer. En dan opeens. Pats. Maar je zei net dat je... Ik dacht dat je net zei dat... En hoe zit het dan met wat je net zei over...

Oppassen voor deze man, weet Arthur. Concentreren. Eén voordeel heb ik: hij weet niet wie hij voor zich heeft. Hij weet niet dat ik jarenlange training heb gehad in het ondergaan van ondervragingen. Ik ken alle trucs.

'Waar heb je die spullen vandaan? Ziet er uit als de inhoud van een kerstpakket. Of liever gezegd: twee kerstpakketten.'

'Waar is mijn hond?' Arthur voelt zich sterk.

'Je hond heeft te eten en te drinken.'

'Waar is-ie?'

'Waar heb je die spullen vandaan?'

'Waar is mijn hond?'

De man lacht vriendelijk. Je zou hem bijna aardig gaan vinden. En dat is nou precies het gevaarlijke. Je moet je blijven concentreren op het feit dat hij de vijand is en altijd de vijand zal blijven. Zo is het bij ondervragingen.

De man is uitgelachen en staart naar het plafond. Laat een stilte vallen. Klakt met zijn tong. 'Hoe heet je?' vraagt hij dan.

'Waar is mijn hond? Ik wil mijn hond.'

'Ik denk dat het verstandig is dat je zegt hoe je heet. We willen je ouders bellen. Die maken zich vast erg ongerust.'

Ook die truc ken ik, denkt Arthur. Ze beginnen altijd te praten over je ouders of over goede vrienden.

'Waar woon je?'

Het is warm in het kantoortje. Vies warm. En rokerig. Arthur kijkt om zich heen. Dit is een echt politiebureau, realiseert hij zich. Ik ben echt opgepakt. Hier, aan dit tafeltje, zitten ook wel eens moordenaars. Of leden van de mafia. En nu ik. Ben ik bang? Nee. Straks komt Nina me opzoeken. Ze moet achter het glas blijven. We leggen er allebei onze hand op. Als ik vrij ben gaan we een film maken. Zij speelt de hoofdrol, ik schrijf het verhaal.

Aan de andere kant van de ruit hangt een klok. Die moet kapot zijn. Hij staat op kwart voor twee. Kwart voor twee? En het is donker buiten. Kwart voor twee 's nachts zou het dan moeten zijn. Zou het dan toch... Is het nog steeds dezelfde dag? Dat moet haast wel. Het is nog steeds dezelfde avond. Het gekke is dat ik helemaal niet bang ben. En ik heb ook nog niet gestotterd. Nog geen moment.

'Wat denk je nou?' De man blijft vriendelijk. 'Dat ik de hele nacht met jou ga zitten praten? Lijkt je wel spannend zeker? Een echte ondervraging.'

Arthur kijkt op. Blauwgrijze, rustige ogen kijken hem recht aan.

'Als je niet wilt zeggen wie je bent of waar je vandaan komt, stop ik je in een cel en kijken we morgen verder. Ik kan je om te beginnen vierentwintig uur vasthouden. En als het moet nog drie dagen daarna. Is niet leuk hoor, zo'n cel.'

De druk wordt opgevoerd. Natuurlijk. Ze hebben meer te doen. Wat nu? Arthur wendt zijn blik af. Hij denkt aan thuis. Aan zijn moeder. Wat zou ze nu doen? Zou ze nog wakker zijn? Of zou ze gewoon zijn gaan slapen? Misschien zelfs met Andy? En papa? Zou hij weten dat ik weg ben?

'Waar ben ik eigenlijk?' vraagt hij.

'In Doetinchem. Ben je met de trein gekomen?'

'Ja.'

'Goederentrein?'

Arthur knikt. Dat kan ik toch wel vertellen, denkt hij. Dat maakt toch niet uit?

'Waar ben je opgestapt?'

Slim. Heel slim. De man vraagt het heel rustig. Dit is een professional van de eerste orde. Nooit geweten dat er in Doetinchem van die bekwame politiemensen werken. Maar het zal hem niet lukken.

'Waar is mijn hond?'

De man tegenover hem zucht. 'Als we je hond halen, vertel je dan wie je bent en waar je vandaan komt?'

Arthur aarzelt. Ja. Ook slim van 'm.

'Je moet nu echt even mee gaan werken, want mijn geduld raakt op.' Het vriendelijke blauw verdwijnt uit de ogen. Nu zijn ze alleen nog maar grijs. Tegen zwart aan.

'Ik wil mijn hond,' zegt Arthur kleintjes.

Even blijft het stil in het kantoortje. In de verte klinkt een harde lach. Een lach op het politiebureau in Doetinchem, 's nachts om kwart voor twee. Wat valt er te lachen?

Dan, plotseling, schuift de man zijn stoel naar achteren. Hard schurend gepiep. Hij staat op en loopt met grote passen het kantoortje uit.

Nu is Arthur bang. Ineens. Zijn hart klopt in zijn keel. Wat gaat er gebeuren? Ben ik te ver gegaan? Misschien is het gewoon een aardige man en geen harde ondervrager? Misschien is hij de enige die me wil helpen en heb ik die kans verspeeld. Nu gooien ze me in de gevangenis. Of in een tehuis voor weeskinderen. En Simba wordt aan de ketting gelegd. Je hebt van die mensen, die het niets interesseert als een kind of een dier pijn of verdriet heeft.

Ach nee, dat doen ze in Nederland niet. Nee. Arthur probeert de gedachten van zich af te zetten. Toch krijgt in zijn verbeelding de politieman een baard. En een schorre stem. En laarzen. Hij gaat Simba buiten aan de ketting leggen. Bij het weeshuis. En dan moet hij buiten blijven tot en met kerstmis en oud en nieuw. Krijgt hij al die rotjes en voetzoekers om zijn oren. Terwijl Arthur achter het raam moet toekijken. Ach nee. Dat doen ze niet.

Een korte blaf. Arthur springt op. De deur gaat

open. Daar is Simba. Hij heeft zijn riem nog om. Hij krabbelt tegen Arthur op, schuurt met zijn nagels over een arm, likt in het gezicht. Hij blaft en blaft nog eens. Arthur zegt niets, streelt alleen maar en registreert dat op een afstandje de ogen van de politieman weer net zo blauw als daarstraks zijn.

'Hoe heet je hond?' Het klinkt vriendelijk.

'S-S-Simba,' zegt Arthur.

Is dat gek, denkt hij, ik word opgepakt, ben in gevaar, er wordt druk op me uitgeoefend en ik praat goed en zonder haperingen. En nu, nu zit ik hier met Simba en de ogen van de politieman zijn weer meer blauw dan grijs, en nu ga ik stotteren. Ik begrijp er niets van.

'En jij? Hoe heet jij?' vraagt de man vriendelijk. Hij pakt een blocnote en een pen en kijkt Arthur aan.

In de cel

Arthur ligt op zijn rug op het bed en strekt zijn hand uit. Hij aait Simba die rustig naast hem op de grond ligt. Wat een bijzondere hond is het toch. De man van het asiel zei dat hij niet betrouwbaar was. Hoe komt-ie erbij? Als je lief tegen hem bent, is hij het liefste van de hele wereld terug. Een oude ziel, zou papa zeggen. Eentje die al veel heeft meegemaakt. Zou het zo zijn, dat je verschillende levens hebt? Dat je soms in een mens zit en dan weer in bijvoorbeeld een hond? Dat je vroeger een ridder bent geweest en daarna een zeeman en daarna een schrijver? Kan je ook een wurm worden en de hele dag onder een blok hout wonen? Misschien als je heel slecht geleefd hebt, word je een wurm. Dan word je gestraft. Gestraft? Door wie dan? God? Bestaat God? Kan toch bijna niet. Er gebeuren zulke erge dingen in de wereld. In oorlogsgebieden maken ze elkaar af en in Nederland ontvoeren en verkrachten ze kinderen. Ze vermoorden oude dametjes voor een paar gulden. Als God bestaat, let hij erg slecht op.

De deur van de cel staat open. Arthur kan naar buiten. Hij mag naar buiten, heeft de politieman gezegd. Maar het is beter van niet. Eerst maar even wachten tot het dag wordt en dan zien we wel verder. Arthur heeft de man alles verteld. Bijna alles. Van thuis en van de trein en van de kerstpakketten. Niet van het toneel-stuk. En Nina. Dat niet.

Er valt licht door de openstaande deur. Licht van de gang. In een politiebureau is het nooit donker. De politie is altijd wakker. Arthur sluit zijn ogen. Hij voelt nu pas hoe moe hij is. Hij heeft alles verteld. De wedstrijd is afgelopen. Hij heeft zich overgegeven. De ondervrager heeft gewonnen. Je bent een man als je toe kan geven dat je verloren hebt, zegt papa altijd. Dan heb je ook gewonnen, maar dan van jezelf. Arthur is moe, maar ook onrustig. Zijn hart klopt nog steeds in zijn keel. Van alles. Misschien heb je toch soms anderen nodig, denkt hij, en kan je niet alles alleen doen, ook al heb je een geweldige hond.

Plotseling zwemt hij in een woeste rivier. Met overal rotsblokken. Vanuit de verte klinkt het gedonder van een waterval. Voor hem uit spartelt Simba. Steeds gaat die even onder. Dan gilt Arthur: 'Simbaaaaaa!' Hij gilt en schreeuwt tot de hond weer bovenkomt. Hij moet zo hard gillen dat het geluid door en onder het water gaat. Het gedonder van de grote massa vallend water zwelt aan. Steeds harder en harder. Elk moment zullen eerst Simba en dan hij naar beneden kunnen vallen. Arthur zwemt en zwemt. Komt hij dichterbij? Het gedonder is nu oorverdovend. De waterval moet vlakbij zijn. Ik haal het niet, denkt hij. Simba is al uit het zicht. Ik haal het niet.

'Simbaaaaaa!'

Daar is-ie weer. Duikt zo op, met heldere blik. Zijn kop is droog. Het water is er niet. Lijkt of het er niet is. De hond zwemt maar blijft droog. Zo lijkt het. Geen natte slierten haar, zoals bij een mens. Geen geproest.

Geen gewrijf in zijn ogen. Het water is er niet.

'Simbaaaaaa!'

Er is geen waterval meer. En de kolkende rivier loopt leeg. Alsof je de stop uit het bad trekt.

De hond heeft mensenhanden. Die hem strelen. Over zijn voorhoofd. Over zijn haar. Mensenarmen die hem stevig vasthouden.

'Arthur, Arthur,' fluistert iemand.

Is dat Simba? Is dat de stem van een hond?

Arthur doet zijn ogen open. Hij is weer in de cel. Er zit iemand op zijn bed. Die hem omhelst. Het is zijn vader. Het is papa.

'Arthur. Ik ben gekomen zo snel ik kon. Jochie toch.'

'Papa!'

En dan komen de tranen. De vechtmachine, de hardloopkampioen, de geheim agent huilt opeens zijn longen uit zijn lijf.

Kan jij niet...

'Ik doe niet meer mee met het t-toneelstuk,' zegt Arthur. 'Want ik s-stotter. En dan d-duurt de avond een b-beetje lang.'

Iedereen lacht. Maar het klinkt niet vervelend. Helemaal niet. Ook Nina lacht. Juist Nina. Mooie, onbereikbare Nina. Zij lacht misschien nog wel het hardst. Ze gooit haar hoofd erbij achterover. Wat een mooie mond heeft ze, denkt Arthur. Ik ga dromen over haar mond. Wat kan je dromen over een mond? Ik verzin wel iets. Iets met kussen. Of zal ik er een gedicht over schrijven?

'Ik vind het erg dapper van je om dat te zeggen,' zegt de hè-juf. Ze kijkt de kring rond. 'Dat is dapper hè, van Arthur?'

'Ja, is wel oké.'

'Cool.'

'Iedereen weet het toch. Kan je er net zo goed eerlijk over zijn.'

'Ik vind dat stotteren helemaal niet erg,' klinkt het opeens helder. Nina spreekt. De mond waar een gedicht over geschreven gaat worden doet van zich spreken. 'Ook voor iemand die toneelspeelt. Het maakt het juist heel echt. En ik heb een keer een oude film gezien met een Amerikaanse acteur die ook stottert. James

Stewart. Hartstikke mooi.'

'Hoor je dat, Arthur?' zegt de hè-juf. 'Dat is leuk hè, dat Nina dat zegt? Lief hè?'

Of dat leuk en lief is? Ja, dat is leuk en lief dat ze het zegt. Minder leuk is het dat Arthur nu echt wel een kleur gekregen heeft.

'Dus ik vind,' zegt Nina, 'dat je gewoon mee moet doen. Al doe je het maar voor mij. Want zonder jou vind ik het niet leuk meer.'

Het wordt stil in de gymzaal. Iedereen zwijgt. Dan kijkt Arthur op en zegt: 'Maar ik ben gewoon bang dat ik niet uit mijn woorden kom. Daarom wil ik geen toneelspelen.'

Zonder hapering. Het vloeide zo naar buiten. Een prachtige, volle, stromende zin.

'Ik ben er toch gewoon b-bang voor.'

Natuurlijk. Als je er aan gaat denken, ben je de klos. Hoop nou maar niet dat je zomaar genezen bent. Je bent wie je bent. En dat blijf je. Jammer maar helaas.

'Ik stotter niet,' zegt Mark plotseling met harde stem. 'Maar ik heb er eigenlijk ook geen zin meer in. Ik bedoel, ik vind het een stom stuk. Over die bijen en die hommel. Ik vind er geen bal aan.'

Opeens praat iedereen door elkaar. Ze willen niet meer. Ze vinden het toneelstuk niet leuk.

'Wacht even. Ho even. Stop.' De hè-juf is er van opwinding bij gaan staan. 'We moeten toch een schooltoneelstuk hebben? Dan moeten we iets anders vinden. Nu kan het nog. Maar hoe komen we aan een nieuw stuk? Of doen we iets anders?'

Arthur wil wat zeggen. Hij opent zijn mond, maar sluit hem weer. Opeens is hij bang het allemaal kapot te maken. Het ging totnutoe zo goed. Iedereen moest om hem lachen. Iedereen keek aardig. Voor het eerst hoort hij er een beetje bij. Het zou zo erg zijn als hij dat weer meteen verspeelde. Hij kijkt naar de grond. Niet doen. Niet nu. Stapje voor stapje.

'Als we die bijen maar niet doen.'

'Waarom moet er elk jaar een toneelstuk zijn?'

'Ik heb een keer iets gezien met een spooktrein. Dat was leuk.'

Iedereen praat nu door elkaar. Mark vindt dat ze geen toneelstuk moeten doen maar cabaret. Charlotte wil dans. Of iets wat spannend is. Kunnen ze geen film maken? Allemaal plannen, allemaal stemmen, allemaal woorden. Wat gaat het ze gemakkelijk af, denkt Arthur, dat praten. Zij praten allemaal gratis. Daar hoeven ze niets voor te doen.

'Kan jij niet wat schrijven?' vraagt Nina opeens.

Arthur is bezig met zijn veters. Hij heeft maar half geluisterd naar wat er om hem heen gezegd is. Nu merkt hij dat het opeens weer stil is. Wat was het laatste? Nina zei iets. Wat zei ze? 'Kan jij niet wat schrijven?' Tegen wie zei ze dat? Hij kijkt op. En meteen recht in de mooiste ogen van de wereld. Had ze het tegen hem?

Ze had het tegen mij. Ik? Vroeg ze dat? Hoe is het mogelijk?

'Volgens mij kan jij heel goed een toneelstuk schrijven,' zegt Nina.

Arthur is nu opeens alles tegelijk. Een popster. Een schrijver. Een man. Een dolverliefde hommel. Een grote stroom van fantasiebeelden door elkaar. Alsof het allemaal in een paar seconden door hem heen trekt.

'Ja graag,' hoort hij zichzelf zeggen. 'Ik weet wel iets. Over een jongen die van huis wegl-loopt. Met zijn hond. En op een station in Duitsland komt hij dan een m-meisje tegen waar hij verliefd op wordt.'

Onmiddellijk praat iedereen weer door elkaar. 'Dat lijkt me leuk,' roepen ze. 'Dat is tenminste echt.'

'Veel beter dan die stomme bijen.'

'Dat doen we.'

'Híj kan tenminste schrijven.'

Ben ik dat? Ben ik die 'hij'? vraagt Arthur zich af. Kan ik schrijven? Ja, ik denk dat ik dat kan. Maar hoe weten zij dat? Waarom denkt Mark dat ik kan schrijven? Hoe komt-ie daar bij? Wat zit het toch allemaal raar in elkaar.

Gistermiddag liep hij weg uit de gymzaal. En vannacht zat hij nog op het politiebureau in Doetinchem. Ver weg van iedereen. De klas, de juf, zijn moeder, zijn vader. En nu is opeens alles anders en vragen ze hem of hij een toneelstuk wil schrijven. Een goed stuk, waar zij in willen spelen. En waar Zij in wil spelen.

'Het lijkt me een geweldig idee.' De hè-juf is weer tot rust gekomen en gaat zitten. 'We hebben er alle vertrouwen in hè? Zo is het toch hè?'

Arthur luistert al niet meer. Hij zit vastgeklonken aan de lach en de ogen van Nina die tegenover hem zit. Ze kijkt hem stralend aan. Zonder jou vind ik het niet leuk meer, heeft ze gezegd. Kijk eens hoe ze kijkt. Simba, denkt hij, ik wou dat je hier bij kon zijn. Ik wou dat je dit kon zien. Als ik thuis ben, ga ik je alles vertellen. Je vindt haar vast ook prachtig.

'Mag ik de hond spelen?' roept Mark. 'Ik wil niet verliefd zijn. Ik doe de hond.'

De ogen zeggen alles

Het sneeuwt buiten. Daarom is de voorstelling later begonnen. Het doek ging pas op om tien over half negen, terwijl er om acht uur begonnen zou worden. Iedereen was te laat: uitgegleden, auto startte niet, het slot was bevroren. Chaos. Uiteindelijk werd er begonnen. De zaal zat vol met de oudere leerlingen, vrienden, bekenden en natuurlijk de vaders en moeders.

Arthur zit aan de zijkant van het toneel, op een stoel in de manteau. Hij heeft bij de generale repetities in het theater, de vaktermen geleerd. De manteau's zijn de verticale pilaren waar een gedeelte van het licht en het voordoek aan hangt. De lappen die daar achter hangen heten de 'poten' en als die aan de bovenkant overdwars hangen heten ze 'friezen'. En zo is er nog veel meer. Arthur luistert en slaat alles op. Repeteert het thuis in zijn bed. Hij wil het allemaal weten.

De afgelopen weken is er zoveel gebeurd. Het lijkt of zijn leven door het weglopen helemaal anders is geworden, ook al kwam hij maar tot Doetinchem. De ene grote droomliefde na de andere komt opeens op zijn pad: Nina, Simba, het toneel. Wat is er veel om van te houden. En dan nu niet alleen in dromen. Dit is allemaal echt, hartstikke echt.

Arthur luistert geconcentreerd naar wat er op het toneel gebeurt. Het zijn zíjn woorden die daar uitgesproken worden. De toneelspelers – acteurs noemen ze zich nu – spreken uit wat hij heeft geschreven. En hoe ze dat doen is erg belangrijk. Een klemtoon veranderen en de hele zin krijgt een nieuwe betekenis. Dat is prachtig aan toneel, vindt Arthur. De tekst, hoe die wordt uitgesproken, hoe de acteur daarbij kijkt, hoe hij staat, hoe hij zijn handen beweegt, alles is van grote invloed op hoe het stuk overkomt. En dan is het belangrijkste nog niet genoemd: de ogen. De ogen zeggen alles. Zijn ze neergeslagen of kijken ze helder de wereld in? Is er angst of verliefdheid in te lezen? Daar verbaast Arthur zich over: dat je vanaf de achterste rij in het theater angst of verliefdheid in ogen kan zien. Hoe is dat mogelijk? Zo'n kleine verandering in zulke minuscule spiertjes zijn op zo'n grote afstand feilloos waar te nemen.

Arthur zit en kijkt en luistert. Soms als een speler het net verkeerd zegt, voelt hij zich boos worden of zou hij het liefst rechtstreeks door de grond zakken, maar als het goed gaat, geniet hij als een klein kind. Hij heeft ook veel bewondering voor de acteurs. Er zijn zoveel zinnen met moeilijke B's en K's. En onmogelijke P-reeksen. Het maakt ze niet uit. Zij kunnen praten. Ze praten met de mond en spelen met de ogen.

Op het toneel vindt nu de liefdesscène plaats. De eerste liefdesscène. Arthur heeft er drie geschreven. Eerst dat ze elkaar tegenkomen, dan dat ze zich samen ergens verstopt houden voor de politie, met de eerste kus, en tot slot de grote scène, waarin ze bekennen dat ze verliefd op elkaar zijn. En ook weer kussen natuurlijk. Jim en Cezanne. Zo heten de hoofdpersonen. Arthurs eigen Romeo en Julia. Nu staan ze, op een avond, op een verlaten perron. Jim is van huis weggelopen en komt Cezanne tegen. Zij staat daar op de trein te wachten. In de mist. Alleen. Opeens klinkt er door een speaker een stem die zegt dat de trein niet komt. Vanwege een storing, zegt de tekst. Vanwege de sneeuw, heeft Arthur er op het laatste moment nog van gemaakt. Zodat het echt actueel lijkt.

'O jee,' zegt Cezanne. 'Wat nu?'

'Ga maar met mij en Simba mee,' stelt Jim voor. 'Wij zijn op wereldreis. En dan kan je overal naar toe. Met trein of zonder trein.'

'Heet je hond Simba? Van *De leeuwenkoning* hè? Lief beest.'

Arthur kijkt met open mond naar Nina, de hoofdrolspeelster. Mond en ogen. Zij is zoveel beter dan Charley, die er later bijgekomen is en Jim speelt. Charley heeft geen overtuigingskracht. Zijn angsten en gevoelens komen niet echt over. Niet zoals Arthur zou willen. Maar toch: het geheel werkt. Je voelt het. Er wordt nu in het publiek bijna niet meer gehoest. Je voelt de spanning en de aandacht.

'Waar kom je vandaan?' vraagt Cezanne.

'Wat maakt het uit,' antwoordt Charley als Jim, 'waar je vandaan komt?'

'Waar ga je naartoe dan?' vraagt zij.

'Naar jou,' zegt hij. 'Naar jou en de wereld.'

Hij doet het best goed nu, vindt Arthur. Maar als ik kon praten zoals hij... Wat is dat toch jammer dat ik dat niet kan.

Een half uur later, in de tweede liefdesscène, kussen

Jim en Cezanne. Arthur doet zijn ogen dicht. Nina is Cezanne. Arthur is Jim.

Hels kabaal en gloeiende wangen

Arthur bedekt Simba's oren. Het is net oorlog buiten. Miljoenen hagelstenen ratelen als mitrailleurvuur tegen het raam en tegelijkertijd ontploffen overal rotjes. Links en rechts gillen voetzoekers en spatten hoog in de lucht duizend vuurpijlen. Alles komt tegelijk, zoals altijd. Dat er nog mensen buiten zijn om dat vuurwerk af te steken! Met dit weer!

De telefoon gaat. Moeder pakt op. 'Hallo,' zegt ze. En luistert met een vinger in haar andere oor. 'Ik hoor je niet zo goed. Het is een hels kabaal buiten.'

Aan de andere kant schreeuwt een mannenstem.

'Stil maar, stil maar,' zegt Arthur, alsmaar Simba strelend. Het arme beest trilt over zijn hele lijf. Toch vreemd: in de trein was hij helemaal niet bang, nu zijn ze veilig binnen en thuis en Simba ligt te rillen van de angst.

'Stil maar, stil maar,' sust Arthur. 'Het gaat zo wel over. Ik blijf bij je. Ik bescherm je wel.' Hij kan wel huilen als hij zijn hond zo ziet. Met die schichtige ogen, de staart helemaal naar binnen geslagen, zijn kop dicht bij de grond.

Even is het wat stiller buiten.

'Ik begrijp het,' zegt moeder met verstikte stem. 'Natuurlijk. Ik begrijp alles. Maar mijn gevoel zegt iets anders.'

Zou Simba zich ook al die tijd groot hebben gehouden? vraagt Arthur zich af. En durft hij nu pas bang te zijn? Als je op stap bent en een van de twee wordt bang of verdrietig, dan moet de ander flink zijn. Samen opgeven, dat kan niet.

'Het zijn maar rotjes. Het is niet echt. Hebben ze wel eens op je geschoten? Maak je maar geen zorgen, ik laat je nooit meer in de steek.'

Arthur en Simba liggen midden in de kamer, tussen moeder aan de telefoon en de televisie in. Het was tot tien minuten geleden een rustige oudejaarsavond. Arthur lag languit op de vloerbedekking met zijn arm om Simba met een half oog naar de televisie kijken. Moeder vroeg steeds of hij het niet saai vond zo met zijn tweetjes en Simba, en Arthur had elke keer ontkennend geantwoord. Andy had nog willen komen, maar moeder heeft hem afgezegd. En toen was-ie boos geworden. En nu is het uit. Gelukkig maar.

'Ja, alleen met Arthur,' zegt moeder. 'En de hond. Ja, die is er nog. Wat dacht je.'

Pwieeeeuwww pang. Rettettettettette. Pang pang pang. Simba trilt al iets minder. Misschien geloof hij nu echt dat hij een baasje heeft dat hem niet in de steek laat.

'Ja,' zegt moeder. 'Ja, dat begrijp ik. Ik begrijp dat heus wel. Ja, ik ben natuurlijk ook niet ideaal.' Ze klinkt al wat vrolijker.

Op de televisie hossende mensen, schreeuwende jongens en meisjes, champagne, vuurwerk en oliebollen. Feest.

'Ja, dat is goed,' zegt moeder. 'Oké. Dat lijkt me heel goed.' Ze legt neer. 'Je vader komt straks even langs.' Ze heeft blosjes op haar wangen.

De telefoon gaat onmiddellijk weer. Moeder neemt weer op. 'Hallo,' zegt ze. En dan: 'Het is voor jou.'

'Voor mij?'

'Een meisje. Ik verstond haar naam niet.'

Arthur pakt de hoorn. 'Hallo?'

'Hoi Arthur. Met Nina. Ik wou je even gelukkig nieuwjaar wensen.'

Arthur houdt zijn adem in. Ze is het echt. Daar is haar stem alweer.

'Gelukkig nieuwjaar.'

'O ja. Ja, jij ook.' Nu voelt Arthur zijn eigen wangen ook gloeien. 'Gelukkig nieuwjaar, Nina. Gelukkig n-nieuwjaar.'

Shit, denkt hij, ik had het geen twee keer hoeven zeggen.

Fotografie: Piek

Haye van der Heyden

Strelen

Het ziet er prima uit voor Jeroen en Pauline. Eindelijk
zullen ze elkaar weer zien. Met de ouders van Pauline en
Victor gaan ze op vakantie naar Ibiza.
Naar een huis met een prachtig zwembad.
En Vera weet al precies wat ze wil gaan doen op vakantie
met Victor. Jeroen schrikt er zelfs van.
Al snel wordt duidelijk dat zowel Jeroen als Pauline een
groot geheim verbergen. En het heeft met het zwembad te
maken. Maar kun je iets echt geheim houden als je zo
verliefd bent als die twee?

11+

Haye van der Heyden

Vrijen

Op de sportdag staat Pauline ineens voor Jeroen.
Totaal onverwacht. Twee weken logeert ze bij haar oma.
En Pauline weet waarvoor ze komt. „Ik wil zo graag weten
hoe het is. Hoe het voelt," zegt ze.
„En de eerste keer wil ik met jou. En het is wel handig als
je een beetje ervaring hebt. Anders ben ik bang dat het
zo'n geklungel wordt. Victor zegt dat je echt wat ervaring
moet hebben, anders is het geen doen."
En Jeroen, verliefd als hij is, zegt dat hij ervaring heeft...
Na *Kusjes*, *Zoenen* en *Strelen* een prachtigmooi vierde boek
over Jeroen, Pauline en de liefde.

13+

Haye van der Heyden

Liefde
Nu moet het er echt van komen, vindt Jeroen.
Met Pauline deze keer, de mooie vrouw
waar hij al zo lang verliefd op is.
Het is alsof Pauline dat aanvoelt,
want ze komt weer in de stad wonen.
Maar omdat ze zo lang is weggeweest,
is er veel veranderd. En dan is er ook nog Martine,
met wie hij zo goed kan praten...
Even lijkt het of het allemaal verkeerd zal gaan.
Maar echte liefde lost alles op!
13+

Haye van der Heyden

Tranen in bad
Pauline verhuist naar Brussel. Ze moet afscheid
nemen van Jeroen, haar grote liefde.
Een afscheid dat niet meevalt. Maar daarna?
Wat dan in Brussel? Moet ze hem trouw blijven?
En blijft Jeroen haar trouw?
In Brussel ontmoet Pauline Christiaan.
Mooi, groot, zanger, gitaarspeler en eigenlijk
te oud voor haar. Ze wil best met
hem gaan wandelen.
Maar mag ze ook met hem zoenen?
Wat moet ze doen?

Haye van der Heyden

Proost, lover!
Pauline haalt diep adem. 'Mama,' zegt ze, 'ik kan die
kleren niet meer aan. Dat zie jij toch ook wel.'

Pauline is twaalf. Bijna volwassen dus, vindt ze. Gisteren
voelde ze zich nog papa's kleine meid. Heel vertrouwd.
Maar met die zelfgekochte kleren voelt het heel anders.
Nieuw! Echt een jonge vrouw. Met een grote liefde:
Jeroen. En ook met Christiaan, die zo goed kan zoenen.

Na *Tranen in bad* het tweede boek over de
liefdesavonturen van Pauline.